YCHYDIG IS NA'R ANGYLION

YCHYDIG
IS
NA'R
ANGYLION

ALED JONES WILLIAMS

℗ Aled Jones Williams 2006 ©
Gwasg y Bwthyn

ISBN-10 1-904845-47-9
ISBN-13 978-1-904845-47-8

Dymuna'r cyhoeddwyr gydnabod cymorth
Adrannau Cyngor Llyfrau Cymru

Llun y Clawr:
'The Funeral Party' L. S. Lowry, 1953
℗ Casgliad Lowry, Salford
© The Lowry Collection, Salford

Cyhoeddwyd ac argraffwyd gan
Wasg y Bwthyn, Caernarfon

DIOLCHIADAU

–i'r Academi Gymreig am roi'r ysgoloriaeth ysgrifennu i mi a'm galluogodd i deithio i Rwsia.

–i Phillip Davydor yn ninas Sant Petersburg am fy nhywys drwy rin a chyfaredd eiconau a'u gwneuthuriad.

–i Marc am ddod hefo fi.

–i Harri Pritchard-Jones a Carys Lake am ddarllen y nofel ac am eu sylwadau hynod glên.

–i Haf Meredith sy'n teipio i mi.

–i June a Maldwyn o Wasg y Bwthyn am eu hynawsedd arferol a'u brwdfrydedd.

–i'r golygydd anhysbys, ond trylwyr a sensetif yn y Cyngor Llyfrau.

–i'r criw oedd yn Enlli pan roddais y nofel wrth ei gilydd.

–i'r rhain i gyd yr wyf yn cyflwyno'r nofel ond fe'i cyflwynaf yn arbennig er cof am Dafydd Owen, Llanbedrog mewn diolchgarwch enfawr am gael ei adnabod o.

BLAENAU SEIONT

1

Mond chdi a fi rŵan!

Roedd Dulyn Pari yn edrych ar yr awyr, awyr oedd fel *drawing* gan Seurat, pan gachodd aderyn ar ei ben. (*Wel! dynachdi beth lwcus ichdi*, clywodd ei Fam yn ei ddweud ym mhellafion ei gof. Ei Fam oedd weithiau fel hen frân ddu'n crawcian yn uchel i fyny ar frigau ei gof wrth iddo fo fynd heibio yn fach, yn smotyn yn y gwaelodion.)

'Paula!' gwaeddodd wrth gamu i mewn i'w swyddfa. 'Be ti'n feddwl ydy'r *odds* yn erbyn deryn gachu ar dy ben di oherwydd ma 'na ryw wylan ne rwbath newydd neud?'

Ond mi oedd ei swyddfa'n wag. Ac yntau'n siarad ag o ei hun. Triodd edrych dros ei ysgwydd i weld a oedd yna faw deryn ar gefn ei siwt. Rhyw staen. Tynnodd ei siaced a'i dal am i fyny ac yno roedd o ar y cefn yn rhimyn gwynfudr.

'Ych! Ogla ffish. Ych!'

Canodd ei ffôn.

'Pari! . . . Rwbath di be? . . . Dŵad i'r fei . . . Rwbath 'di dŵad i'r fei! . . . 'Di ffendio be? . . . Be udas di? . . . Ffor ffyc sêc! . . . Be? . . . Mosêc! . . . Ffor ffyc sêc! Am faint? . . . Deufis . . . Mwy falla! . . . Wa'th gin i ba mor brydferth ma nhw'n 'i ddeud . . . Pwy ydy nhw? . . . Sgynno ni insiwrans i beth fel hyn? . . . Wel! ffendia allan . . . 'Di Pepco'n gwbod? . . . Wel! ffonia nhw! . . . Ffor ffyc sêc! . . . Rho awran i mi? . . . Nid ar y rêt dwi'n dreifio mêt!'

Diffoddodd ei ffôn. Yn hegar.

'Paula! Paula!'

Agorwyd drws yn dawel ym mhen pellaf ei swyddfa.

'Chi'n galw?' meddai Paula'n hollol ddigyffro.

'Cansla bob uffar o bob dim, dwi'n gorod mynd i'r seit. Goeli di ddim . . .'

'Mae Jean Lomond 'di ffonio . . . Deirgwaith,' meddai Paula.

Oedd yna dwtj o'r cyhuddgar yn ei llais pan ddywedodd hi 'deirgwaith'? meddyliodd Dulyn.

'Os daw hi ar y ffôn eto deud 'thi mod i 'di marw'n sydyn nei di! Neithiwr! Ond doedda chdi ddim yn gwbod. Cnebrwn wsos nesa. Dim bloda. O! a gyda llaw, oedda chdi isio wsos off. Cei! 'Na ti ffeind ydy dy hen fos di. Goeli di ddim . . .'

'Diolch!' meddai Paula.

Ar hyd ei thin, meddyliodd Dulyn, ond tin siapus fel arfer, roedd eisoes wedi sylwi. Mi oedd o yn hen law ar drin merchaid, sicrhaodd ei hun. Edrychodd ar ei hen law saith a deugain mlwydd oed gan ei throi drosodd a throsodd yn gyflym o'r gledr i'r cefn. Fel petai hi'n fap. Fel petai yna ben y daith i'w gweld arni. A chyfeiriadau ar sut i gyrraedd yno. Yn rhywle.

'Sgin ti ddim cadach, mwn?' meddai'n parhau i edrych ar ei law.

'Cadach?' meddai Paula'n edrych o'i chwmpas am nad oedd y gair 'cadach' yn gweddu i weddill y swyddfa wydr a chrôm, aliwminiym a phlastig. Mor anghydnaws oedd y gair â'i gyd-destun.

'Nagoes siŵr!' meddai.

'Wela i di fory!'

Ond roedd Paula eisoes wedi mynd. Roedd o ar ei ben ei hun. A chlywodd o mohoni'n deud *coc oen!* o dan ei gwynt. Edrychodd ar y cachu deryn. 'Mi sychith ohono'i hun,' meddai.

* * *

9

Yno o dan y ddaear. Yn nhywyllwch y ddaear. Yn pefrio mae llygaid y gwdihŵ. Yn nos y pridd. Modron yn amdo'r tywyrch. Yr Wyryf yn y gwyll tanddaearol. A llepian dŵr y llyn yng nghrochan y fagddu. Ym mhair y ddaear. Y mae ein daear yn llawn o'r gorffennol sy'n cynnig posibiliadau ar gyfer heddiw. Yn archaeoleg fy nghnawd y mae fy hil. Nid marwolaethau sydd yn y tir ond egin atgyfodiadau. Nid cyrff ond had. Daw golau dydd i daro edyn y Golomen eto. A'r düwch – o'r diwedd! – yn ffrwydro'n gawod fân o liwiau.

* * *

Si-so marjyri-do! Si-so marjyri-do! Fyny a lawr. Fyny a lawr. Gorweddai Dulyn Pari ar ddihun yn gynharach y bore hwn ar ei wely yn y llofft wag yn y tywyllwch cyn y wawr. Y pegynau yn ei feddwl. Rhwng chwant a llonyddwch. *Si-so.* Rhwng y blys am y peth yma a'r peth arall, *marjyri-do,* a'r awydd i glirio, i daflu allan, i greu ynddo fo'i hun wacter. Y dyheu anferthol i feddiannu rhywbeth, rhywun, ac wedyn o'u cael y siomiant andwyol nad hyn, nad hon (o ia! hon!), oedd o ei eisiau wedi'r cwbl. Y chwilio ynddo fo'i hun am le o heddwch. Y mynd, mynd, mynd tu mewn iddo'i hun. Y gwingo a'r rhuthro. Pam nad oedd o erioed wedi profi ynddo'i hun le canol? Dim ond yn wastad yr hyrddio rhwng eithafion. Naill ai neu. De. Gogledd. Fyth y tir canol. (Doedd o erioed wedi licio canolbarth Cymru ar ei deithiau o Flaenau Seiont i'r Brifddinas, er enghraifft. Mwynder Maldwyn? Ffycin anialwch! Canol nunlla. Ei hen jôc: tasa duw isio rhoid enima i Gymru sa fo'n gwthio'r beipan i mewn rwla tua Commins Coch – Mallwyd falla.) Yr uchelfannau neu'r gwaelodion. Chwerthin gorffwyll neu'r felan (*Iesu, Bob, mae'r hogyn 'ma'n ca'l sderics* – Ei Fam). Hyd yn oed ar y gwely – rŵan! – sylwodd ei fod o ar yr erchwyn.

10

Y pethau anghymharus y tu mewn iddo yn twlcio yn erbyn parwydydd ei gnawd nes weithiau roi'r argraff fod ei gorff yn mynd i hollti, yn mynd i chwalu'n yfflon. Y dyhead i brofi bywyd i'w ben draw a'r un dyhead i roi taw terfynol, pendant arno. Ei fygu'n llwyr. Ynddo roedd rhyw bendil yn gwibio o eithaf i eithaf nes gadael ei du mewn yn llwybr ei daith yn gignoeth. Er nad oedd Dulyn Pari yn credu mewn na *duw* na *diawl* fel endidau gwrthrychol, allan-yn-fancw-yn-rhywle, gwyddai i'r byw beth oedd y *teimladau* yr oedd y ddau air annigonol hyn bellach yn eu byd yn ceisio eu disgrifio. Y cyflyrau mewnol a chudd, affwysol.

Ond eto, petai chi'n cyfarfod Dulyn Morgan Rhys Pari fel rŵan yn mynd am ei gar ar ei ffordd i'r seit ar y stryd, Stryd y Plas Isaf, ym Mlaenau Seiont, lle mae ei swyddfa DuPa Holdings Ltd, a gweld ei wên (barhaol bron), ei liw haul (ffug, smala ac achlysurol), ei ddillad da a drud (biti am y cachu deryn), ei ogla da Hugo Boss, fyddech chi byth bythoedd yn cael unrhyw inclin am ddaearyddiaeth ei galon. Yn allanol roedd o'n edrych fel *broshyr glosi* (Paula ddudodd hynny). Y dyn yma oedd yn cael ei dynnu'n gareiau o dan gamofflaj y beunyddiol. Fel ni gyd, ffor ffyc sêc.

– II –

Ar waelod y grisiau, ei gwydraid o win yn hongian yn llac yn ei llaw wrth ei hochr, gwyrodd Dwynwen Pari ei phen y mymryn lleiaf i wrando. I glustfeinio.

'Yda chi'n cysgu?' meddai mewn llais nad oedd yn bosibl i'r un o'r plantos ei glywed.

Oedodd tu mewn i'r distawrwydd meddal, clên oedd wedi meddiannu'r tŷ. Ogleuodd ei gwin nes bod ei gochni tew bron yn merwino ei ffroenau. A chymryd llymaid. Cododd y ffôn, rhoi'r risifyr wrth ei chlyw, *night my love*

11

sibrydodd i rwndi isel y lein wag. Cerddodd i'r lownj gan graffu am chwinciad ar ei ffordd ar un o destunluniau Bob Cobbing ar y wal. Aeth at ei chasgliad o DVDs, casgliad oedd yn gweddu i adolygydd ffilmiau. Rhedodd ei bys hwnt ac yma yn araf hyd y meingefnau. Heibio Ozu. Heibio Tarkovsky. Heibio 'Beat' Takeshi. Antonioni, Ford ac Eastwood. Hyd nes y cyrhaeddodd y cyfarwyddydd yr oedd hi'n chwilio amdano. Tynnodd *Blue* o blith ei ffilmiau. Edrychodd ar wyneb hardd, bregus Juliette Binoche ar y clawr. Gosododd y ffilm ar dop y teledu. Yn barod. Drachtiodd ei gwin. I'r gwaelod. Ymestynnodd ei braich i'w hyd a gollyngodd y gwydr o'i gafael i falu'n deilchion ar garreg y lle tân. Ar garreg yr aelwyd. Ffug. Cododd gontrols y peiriant CD o'r silff. Llithrodd i un o'r cadeiriau wrth ei hymyl, anelu'r teclyn, gwthio'r botwm. Gadawodd i lais Lleuwen Steffan a phiano Huw Warren droelli hyd yr ystafell a hyd-ddi. Caeodd ei llygaid. Ond doedd fiw iddi hi gysgu. (*Neidi nei! Wrth gwrs y gnai!*) Addawodd wrando. Damia! Edrychodd ar y cloc. Diffoddodd y gerddoriaeth a rhoi Radio Cymru ymlaen. Cael a chael . . .

* * *

Parciodd Dulyn ei gar yng nghowt y Royal Vic. Fel arfer. A cherddodd y pum munud, ddeg, i dŷ Jean Lomond. Jean Lomond y ddynas llnau. *Glanhau nid llnau, Mr Pari!* Glanhau offisys. Nid fod Jean ei hun yn glanhau, wrth gwrs. Mi oedd hithau hefyd yn berchen cwmni, o!taclus.com. A sgwad o ferchaid a dynion llnau yn gweithio iddi.

'Ma'n siŵr ma'ch tŷ chi ydy'r blera yn y lle,' meddai Dulyn wrthi un tro ym mharti Dolig ei gwmni o.

'Chat-up line oedd honna?' meddai Jean.

'Os yda chi isio iddi fod,' atebodd Dulyn.

'Da chi'n lwcus, tydach, fod 'y ngŵr i ar y môr.'

'A! Ma'r môr yn llawn o ddynion priod. Ond sgynno chi ddim modrwy briodas!'

'Ond mae gynno chi.'

Nid oedd rhyw yn bosibl iddo fo heno.

'Ffonis di,' meddai, ei gorff yn aflonydd yn y gwely. Fel petai o'n trio dengid o'i gnawd sdici.

'Do.'

'Deirgwaith!'

'Do.'

'Ma Paula'n sylwi. Tydy hi ddim yn sdiwpid.'

'Fel fi.'

Yna mudandod rhwng y ddau.

Oddi allan ar y lôn dawel, ddi-bobl, rhy gynnar i'r rhai oedd yn dal yn y tafarndai, rhy hwyr i'r rheiny nad oeddent wedi mentro allan, yr oedd golau rheoli traffig yn newid ar ei liwt ei hun. Gwyrdd. Oren. Coch. Yn ôl i wyrdd.

'Ti'n medru gweld y traffig leits yn newid,' meddai Dulyn, 'rhimyn o goch ar wydr y ffenasd, yli. Mi'r eith o'n oren yn munud. Gwyrdd toc.'

'Well ti fynd ta felly, dydi. Pan droith o'n wyrdd nesa.'

'Rhyfadd de. Petha'n gwithio ar benna'u hunain. Pidiwch. Roswch. Dowch. Dowch. Roswch. Pidiwch. A neb yna. Mond y lliwia.'

'Cer!'

'Sori!'

'Dos 'im raid i ti! Ddylsa run affair bara mwy na chydig fisoedd. Dan ni flwyddyn drosodd. Ma petha'n mynd yn beryg wedyn. Disgwl gormod. Breuddwydio'n ofer. Hel meddylia. Petai a phetasa. Cariad yn dechra intyffirio. Anghofio mai hanfod affair ydy ffwc.'

'Be ti'n ddeud wrtha i?'

Ond yr oedd hi eisoes wedi ei ddweud o. Gwisgodd Dulyn amdano. Gwisgodd ryddhad ei ddillad.

'Ti'n meindio os rosai?' meddai Jean.

'Na! Rosa di. Dy wely di ydy o. Dwi'n meddwl mod i'n gwbod lle mae'r drws ffrynt. Dy oriad di.'

A gosododd yr allwedd ar y cwpwrdd erchwyn gwely.

A Dulyn ar ei ffordd i lawr y grisiau, o rywle daeth dyn i'r fei ar y stryd wag. Oherwydd bod ei feddwl yn rhywle arall camodd y dyn i bwll dŵr oedd wedi ei gochi gan olau'r traffig leit. Pinsiodd dop ei drowsus i'w godi gan ysgwyd ei goes yn ffyrnig i drio cael gwared ar y gwlybaniaeth cyn brysio yn ei flaen a mynd ar goll yn y düwch. Hwn oedd Huan Ellis. Agorodd Dulyn y drws. Camodd i wacter y stryd. Caeodd y drws o'i ôl.

* * *

A heno ar *Beiro, Papur, Llais a Phaent* bydd Glenys Kinnock yn sôn am ei hoff gerddi. Yr Athro Dafydd Glyn Jones yn cymryd hoe o'r coleg ffedral i holi *besy ar ôl o iaith y Cofis, ia?* Pelyd Martin yn trafod ei nofel newydd *Hei! Cyfnither Paid â Becso.* Ond yn gyntaf yr artist Elliw Vaughan yn sôn am ei gwaith diweddaraf, dadleuol fel arfer – *Medea!*

Elliw! Croeso!

Diolch!

Mae Parc Cenedlaethol Tryfan wedi'ch bygwth chi hefo cyfraith am, yn eu geiria nhw, yr anfadwaith ecolegol hwn . . .

. . . *yn union fel y mae nhw'n caniatáu i ffarmwrs droi caeau a chloddiau'n gleisiau duon â phlastig silwair mwn, heb sôn am drena bach llawn dîsyl . . .*

Ymladdwch yn ôl, Elliw! Ond dudwch wrth y gwrandawyr rywbeth am y gwaith – *Medea!*

Mi roedd gin i awydd creu cyfres o luniau i drio cyfleu

benywdod yng Nghymru. Ac mi ges i'r syniad, digon od a deud y gwir, o greu nifer o ddyfrliwiau . . .

Dim byd yn od yn hynny, Elliw!

. . . gan ddefnyddio dŵr o Lyn y Morynion! Ond ffals de! 'Twee' ydy un gair. 'Crap' ydy'r gair arall. A mwy na hynny ma gas gin i ddyfrliw, hen gyfrwng llipa.

Ond nid yn nwylo Singer Sargent a Morley . . .

Well gin i olew . . .

Mwy gwrywaidd.

. . . fel Mary Cassatt a Maggi Hambling a Paula Rego a Shani Rhys James. Mae olew yn fwy hyblyg. Yn fwy pensaernïol.

Ond nid llun ydy Medea.

Yn union! Be gydiodd yno i oedd y lleoliad. Llyn y Morynion! Tydwi rioed wedi bod yno!

'There are places in Wales I don't go,' ia Robin Twm! Ac mi es i yno. Droeon. Treulio diwrnodiau yno. Yn sbio gan obeithio y medrwn i weld.

A darganfod?

Dim byd! Nes i mi mewn breuddwyd un noson . . .

Un noson!

Ia! Un noson. Da chi'n licio ailadrodd, Robin Twm? Y noson honno weld wyneb y llyn wedi ei orchuddio â babi dols.

Â babi dols!

'Na chi eto ylwch! Ond be oedd arwyddocâd hyn? Mi es i at ffrind imi sy'n gweithio fel therapydd ac fe awgrymodd o mai'r isymwybod . . .

Syniad henffasiwn bellach, yr isymwybod . . .

Fel rhai o raglenni Radio Cymru, ia? Mai'r isymwybod efallai ydy llyn. Ac yn y seici benywaidd Cymraeg, Llyn y Morynion. Lle cosbi merchaid gan fympwy dynion. Y dynion yn arwyr a'r merchaid yn ddihirod. 'O! wraig ddrwg' a ballu. Tydy hynny ddim yn henffasiwn yn nacdi, Robin Twm?

Cyfoes iawn!

Iawn! Iawn! Felly wrth drafod hyn i gyd hefo ffrind arall i mi . . .

. . . Ma gynno chi lot o ffrindia!

Pam? Da chi'n unig? Dyma fy ffrind i'n awgrymu gosod hysbys mewn papurau a chylchgronau Cymraeg fel Y Cymro.

Gwrywaidd!

Te hefyd! A Sbiwch! a'r resd.

Pa weddill?

Ha! Ha! Yna gwahodd merchaid oedd yn teimlo eu bod nhw wedi cael eu cam-drin mewn unrhyw fodd i anfon doliau ata i. Pob doli'n sumbol o ryw golled, ryw gam, o boen a gwewyr.

A faint o ddoliau gutho chi?

Toman!

Oedd 'na Barbis yn eu plith nhw?

Mi fasa chi'n basach! Ond oedd mi oedd yna! A'u cludo nhw at Lyn y Morynion. Mintai ohono ni. Dros gyfnod o ddeuddydd. A'u harnofio nhw ar hyd wyneb y dŵr.

Oedd ganddo chi ddim ofn?

Ofn? Dwi ddim yn dalld! Be oedd hwnna rŵan, un o uchelfannau holi Radio Cymru ta fersiwn Cymraeg o 'how weak a thing the heart of woman is'? Be oedd ganddo chi mewn golwg 'lly, Robin Twm?

Ha! Fe eill rhai ddweud mai rhyw lun ar brotest ydy hyn, nid celfyddyd.

Rhyw lun ar brotest ydy pob celfyddyd! Be yda chi'n 'i neud hefo'ch dictar?

Ond yn lle'n union y mae'r gelfyddyd? Yn y fideo?

Yn y syniad! Yn y cynllunio! Yng nghymhelliad y merchaid yn anfon y doliau! Y dewis o ddol. Hon? Ta hon? Yn estheteg y doliau! Lle gwnaethpwyd nhw ac ar draul pwy? Yn y cario i'r llyn, y daith! Ac ia! Yn y fideo. Y cronicl o'r holl broses.

Ond *Medea!* Onid Mam a laddodd ei phlant oedd Medea?

Ar un wedd, ia! Ond alegori hefyd o wraig yn ymwrthod â'r

cysyniadau o be ddylai merch fod: mam ffyddlon, gwraig dda. Ond pwy sy'n pennu beth ydy 'da' a 'ffyddlon'? Mae Medea yn *mynnu ymddihatru o'r ystrydebau.*

Elliw Vaughan! Diolch yn fawr! Ac fe allwch chi weld y fideo o *Medea* mewn canolfannau neilltuol ledled Cymru gan gychwyn nos yfory yn Neuadd Goffa Penrhyndeudraeth. A rŵan Glenys Kin . . .

Cyn 'nock' diffoddodd Dwynwen y radio. Â gwên.

* * *

Diffoddodd Dulyn gasét Y Brythoniaid er mwyn iddo gael rhywfaint o'r newyddion.

A'r wythnos nesaf ar Beiro, Papur, Llais a Phaent *byddwn yn talu teyrnged i'r Athro Stephan Morlais Morgan a fu farw neithiwr. Welwn ni chi bryd hynny!*

'Welwn ni neb ar y radio, crinc!' meddai Dulyn yn uchel.

A nawr penawdau'r newyddion gyda Lleucu Blod.

Noswaith dda i chi! Cadarnhaodd Heddlu De Cymru eu bod nhw'n trin marwolaeth yr Athro Stephan Morlais Morgan fel llofruddiaeth. Darganfuwyd corff yr Athro Morgan mewn cwch rhwyfo allan ym Mae Caerdydd. Yr oedd yr Athro Morgan yn adnabyddus fel cyfieithydd The Satanic Verses *Salman Rushdie i'r Gymraeg. Cyfieithiad a fydd yn cael ei gyhoeddi yn yr Eisteddfod eleni. Er nad yw'r heddlu'n fodlon cysylltu'r llofruddiaeth â'r cyfieithu, y mae rhai eisoes wedi gwneud cymhariaeth â lladd Hitoshi Igarashi, cyfieithydd Siapaneg* The Satanic Verses, *yn Tokyo ym 1991 . . .*

Dywedodd llefarydd ar ran Cwmni Pepco fod gwaith ar eu harchfarchnad arfaethedig y tu allan i Flaenau Seiont wedi cael ei ohirio am gyfnod amhenodol oherwydd i weithwyr ddod o hyd i fosäig prin o'r cyfnod ôl-Rufeinig . . .

'Archfarchnad arfaethedig!' meddai Dulyn ac efydd yr enw Bryn Cloch yn sgleinio am chwinciad yng ngolau'r car.

17

'Arfaethedig!' meddai drachefn. 'Ffycin hel!' Gwrandaw-odd ar rwndi injan y BMW. 'Bavarian Motor Works,' meddai ar goedd am ddim rheswm. Wrth edrych drwy'r winsgrin i'r nos deallodd nad oedd yna'r ffasiwn beth â du dim ond tywyllwch glesni, piws iau, fioled mewn cysgod, lliw llus ar ei fysedd pan oedd yn blentyn. Clywodd yr olwynion ar y gro ar y dreif fel sŵn bag papur yn cael ei sgrwnsian yn belen. Sŵn rhywbeth yn cael ei daflu i ffwrdd. Ar yr union foment y cyrhaeddodd y car roedd Dwynwen yn gosod *Blue* yn y peiriant DVD. 'Rywbryd eto!' meddai. A gosododd y caead ar dop y teledu.

* * *

'Yr hyn sy'n ddychryn i mi weithiau – yn aml! – ydy mai tu mewn i mi y mae popeth. Ynom ni y mae'r 'byd'! Allan yn fancw nid oes dim ond pethau sy'n mynd yn batj i'w gilydd, tomen o bethau, twmpathau, cowdal, mynd-a-dod parhaol, llanasd. Yn fy nghrebwyll i y mae trefn a threfnu, patrwm a siâp yn digwydd. Ni sy'n enwi pethau. Ni sy'n creu. Heb eiriau fe syrthiwn yn bendramwnwgl i'r anarchiaeth oddi allan. Heb eiriau, tryblith yw'r cwbl,' ysgrifennodd Huan Ellis ar wib fel petai ofn arno golli'r syniadau oedd yn neidio'n eogiaid yn ei grebwyll bythol aflonydd.

Lleucu! Ti yna?

* * *

'Sori mod i'n hwyr!' meddai Dulyn yn camu i'r ystafell ond yn aros wrth y drws.

'Sy 'im isio ti fod yn sori am hynna bach!' ebe Dwynwen â'i chefn ato. 'Decini fod yna betha mwy na hynny i fod yn sori amdanyn nhw.'

'Dwi 'di ca'l rwbath . . .'

18

' . . . i fyta?' meddai hi'n troi rownd i edrych arno. 'Mi oedd 'n amheuon i'n iawn felly.'

'Dwrnod calad?' meddai Dulyn yn mentro at y soffa.

'Y BFI isio erthygl ar Kieslowski ar gyfer cyfeirlyfr newydd. Feddylish i ddechrau sbio ar y ffilmiau eto . . . ond dwi wedi blino. Wela i di'n bora, ia?'

'Llofft wag?'

'Ia, Dulyn. Am rŵan.'

'Pa mor hir ydy "rŵan"?' meddai gan symud at y lle tân.

'Mi ffoniodd Jean Lomond.'

'Ma'r lle 'ma'n wydr i gyd!'

Gwyrodd i godi'r darnau.

'Gwydr gwin ydy hwn?'

'Wedi gadael ei goriad, mae hi'n meddwl, yn dy swyddfa di . . .'

'Un da hefyd!'

' . . . wedi bod yno'n tjecio'r bobol llnau. Gofyn sa ti ne Paula'n piciad ag o draw iddi hi.'

'Sut ddigwyddodd hyn dŵa?'

'Well ti fynd â fo, ia?'

'Basdad o ddwrnod heddiw!'

'O'n i'n meddwl mai gair i ddisgrifio dynion oedd "basdad" . . .'

'Goeli di ddim. Ma nhw 'di ffendio ryw fosêc. Gymri di wisgi bach? Night cap? Felly ma'r blydi gwaith 'di . . .'

Ond nid oedd neb yna. Neb ond Dulyn ar ei ben ei hun. A gwydr oedd wedi malu'n shitrws ar gledr ei law. A swigen fechan o waed ar ben ei fys.

'Blydi glàs!'

Ar y landin gwelodd fod drws ei (eu) hen ystafell wely ar agor. Fymryn. Crac o oleuni. Polyn o oleuni. Fel gwahoddiad? Fel agen saeth mewn castell = cadw draw y basdad. Caewyd y drws.

19

Yn dawel bach agorodd ddrws llofft Gwawr. Gwawr oedd ar goll ym mhlygion ei dwfe. 'Nos dawch,' sibrydodd. Nid oedd Rhys fyth yn cau ei ddrws. Edrychodd i mewn ar lanast ystafell hogyn. 'Iawn, boi!' meddai Dulyn o'r rhiniog.

Ond nid oedd Rhodri'n cysgu. Clywodd gynnau ei Fam yn holi mewn llais mor dawel â gollwng tywel bath ar lawr, 'Yda chi'n cysgu?' A daeth lliw coch i'w huddo fel coch *burgundy wine gums* a'r cochni yn dal y geiriau *night my love*. Ond rŵan o'r tu allan i'r drws yn dod i'w gyfeiriad nes llenwi ei ystafell wely daeth y lliw gwyrdd. Y lliw gwyrdd tywyll. Tywyll. Y math o wyrdd sy'n oedi ychydig o'r llawr o dan blanhigion ac wrth fonion coed. Y gwyrdd ymhle y mae pethau'n madru ac yn gwsnio. Y gwyrdd sy'n hel ei hun o gwmpas pydredd. Gwyrdd casgl a chrawn a chramen. Y gwyrdd yma oedd lliw ei Dad. Gwyddai fod ei Dad y tu allan i'r ystafell. Yn aros. Yn sefyll yn llonydd. Yn sbio ar y drws. Fel y gwnâi bob nos. Gan anfon o'i galon at ei Fab y lliw gwyrdd tywyllaf a welodd neb erioed. Ac aeth Dulyn Pari yn y man i'r llofft wag.

* * *

Wrth erchwyn gwely Rhodri roedd ei lyfr stori, ei hoff stori, a'i glawr yn sbloet o liwiau. A'i Fam yn feunyddiol (*Twti ddim 'di blino ar stori Icarws, dŵa?*) yn disgrifio lliwiau'r haul fel petai llygaid Icarws ei hun yn eu gweld – anferthedd y coch yn tatsian yn erbyn melyn eirias. Oren yn ffrwydro. Cenlli porffor yn taro'r lliwiau eraill. Gwreichion aur. *At hyn, weldi, mae Icarws bychan ond dewr yn dynesu. Paid ti â bod ofn dim byd!* A'i breichiau porffor hi yn ei wasgu o i'w thu mewn gwynias, ei thu mewn lle gwyddai Rhodri fod yna wreichion aur parhaus yn angerdd o anniddigrwydd na wyddai ei Dad ddim amdanynt. Ac mae hi'n gollwng ei

20

gafael arno a meddalwch ei gorff wrth ei hymyl yn teimlo fel plu gwêr tawdd. Fel cwymp Icarws. *Dyna be yda ni sdi*, meddai ei Fam wrtho, *methiannau gogoneddus.* Ac mae hi'n cau'r llyfr. Y llyfr sydd yn dipia hefo'r holl ddarllen. Yn dipia o liwiau. A'r distawrwydd yn ei ystafell fel distawrwydd gwrando. Gwrando am *sblash!* Icarws i'r môr. Sblash! methiant. A'i ogoniant.

– III –

Yn y drych oedd ar y wal yn y llofft wag roedd o'n bictiwr o ddyn canol oed, Dulyn Pari. Yn dŵad o'r bathrwm. Yn ei drôns yn unig. (Pâr o drôns i rywun fengach?) Ond hefo'r patj tamp disgwyliadwy ar y blaen (ddim wedi ysgwyd ei hen beth ddigon). Ei fol yn hongian rywfaint. (Rywfaint mwy na rhywfaint.) A *gin ti man-boobs, Dad* (Gwawr llynedd). A'r ystum mae dynion o'r oed yna yn ei wneud, swagro bron, ysgwyddau am i fyny, breichiau'n syth am i lawr ond yn cael eu dal ychydig allan o'r corff, y dyrnau wedi eu cau fel reslar yn mynd i mewn i ring, ring y diwrnod newydd. Wedyn yr arferiad o anadlu am i mewn a dal ei wynt – i be? I gael gwared ar y bol, siŵr! Gwisgodd Dulyn amdano. Fel y rhelyw o bobl, dynion yn arbennig, roedd o'n edrych lot gwell mewn dillad.

Bob bore yr un oedd y drefn. Dwynwen yn mynd â'r plant i'r ysgol. Gwawr, deuddeg oed. Rhys, deuddeg oed – yr efeilliaid. Dulyn yn aros hefo Rhodri. Rhodri bron yn ddeg. Hyd nes y deuai hi'n ôl. Wedyn mynd am ei waith. *(Ti'n lwcus, sdi, mai fi ydy'r bos. Yn cael gwneud fel fyd fynno fi. Fel arall swn i 'di gorod mynd lawer cynt. A be sa ti'n 'i neud wedyn? Y? Be sa hwn yn 'i neud? O! fel y mae cynddaredd fewnol yn magu geiriau i siarad am rywbeth arall. Decoy parhaol ydy iaith.)*

I've been preoccupied with death. The death of someone you deeply love. What is death? It's a theft, isn't it? From the deepest part of you, the Lexy part. You've been ransacked. Something is taken away that will never be returned. That cannot possibly be returned. Who you really are, your very self, is diminished by it and when you say 'me' afterwards you can put your hand in the void and bring out handfuls of nothing, can't you? Can't you?

Geiriau rhywun arall. Fel y deuai Dulyn Pari i weld. Ond eisoes roedd o yn eu hamgyffred nhw yn anniddigrwydd ei gorff wrth sbio drwy'r ffenestr. 'Ty' laen, Dwynwen,' meddai. A'i gefn at Rhodri. *Arglwyddgristo'rnef!* Fedra fo ddim sbio ar Rhodri'n bwyta, siŵr. Y cornfflecs yn slwtj yn ei geg o, ac ar fraich ei gadair olwyn o, y slyrpian a'r slempian, *oherwydd felna ma ffycin sbastic yn byta de, ty' laen, Dwynwen bach, ty'd del.*

Ac yn y pellter sŵn seirens.

– IV –

'Edgar Owen' fyddai pawb yn ei ddweud. Byth 'Edgar'. Fel petai'r enw moel ar ei ben ei hun yn dangos ei annigonolrwydd fel dyn a bod angen yr 'Owen' er mwyn atgyfnerthu yr hyn oedd yn hanfodol wan. 'Edgar Owen' fyddai ei Fam hyd yn oed yn ei ddweud, gan edrych arno fel petai hi'n galaru yr hyn nad oedd yna. Roedd Edgar Owen wedi tyfu i fyny hefo'r ymwybyddiaeth fod yna dwll yn ei ganol. Twll yr oedd mond dweud 'Edgar' yn rhoi mynediad iddo. Ond fod dweud 'Edgar Owen' rhywsut yn ei gau. Fel gorchudd. Am chwinciad. 'Edgar Druan' oedd ymadrodd aml ei wraig. Fel petai'r 'Druan' yn rhyw fath o snâm arall. Mr Druan. Doedd yna rywbeth ddim digon, fe wyddai, am y gair 'Edgar'. Roedd yn rhaid ei ddal i fyny â geiriau eraill fel 'Owen' neu 'Druan' ('Edgar Pwr Dab' oedd

un arall hirach.) Fel y mae ffrâm o goed weithiau yn dal wal
i fyny. A dim byd yr ochr arall i'r wal. Dim ond gwacter.

Edrychodd Edgar – Edgar Owen, mae'n ddrwg gen i – i'r
drych gan symud ei ben fymryn o'r naill ochr i'r llall. Fel
petai yn chwilio am rywbeth oedd yn ystyfnig guddied y tu
ôl i'r adlewyrch. A phetai o ddim ond yn medru troi rownd
yn ddigon sydyn fe'i daliai. Yn ei grynswth. Yn gyfan gwbl.
Hen arferiad gwirion oedd siafio ar ôl gwisgo beth bynnag.
A'r sebon siafio hyd-ddo'n bobman. Yn ben-dyn gwyn ar
goler ei grys. Yn fflem ar ei jympyr. Ond nid oedd yna neb
yn y tŷ bellach i newid ei arferion. 'Dwi wedi setio fel jeli,'
medda fo wrth y drych.

Lawr grisia' roedd ei dŷ tawel-fel-y-bedd yn un o'r
lleoedd mwyaf swnllyd y gwyddai amdanynt. Yn gyforiog
o sŵn. Ond sŵn na chlywai neb arall ond y fo. Sŵn oedd
wedi peidio â bod. Yn ddoe. Ond sŵn a dramwyai'r
distawrwydd yn rheolaidd bob dydd. I'w blagio. Sŵn plant
yn dysgu canu'r piano. Sŵn llestri i fwy nag un yn llenwi
atgof y gegin. Llond drôr o gyllith a ffyrc yn sgrytian yn ei
gof am fod y drôr 'ma di jamio, Edgar Bach. Ar y bwrdd gopi
o'r Sun a'r dyddiad 'r ath hi (gwranda, does 'na ddim byd ar
ôl) yn ei blyg. Ac yn melynu. Y llythrennau 'S' ac 'U' ac 'N'
coch gynt bellach yn frown hyll. Fel hen waed wedi ceulo a
sychu ar hancas boced neu ar groen. Yno ar y bwrdd o hyd.
Fel cofeb. Fel rhywbeth i fyth fythoedd so help me God garu
neb. Neb. Eto. Fyth.

Canodd ei ffôn.

'Ditectif Insbector Edgar Owen,' meddai

'Hyd i gorff! . . .

Wrth gwrs! . . .

Dynas ifanc! . . .

Dim gair wrth y papura . . .

Ia! . . .

Hyd nes y do i . . .'

Rhoddodd lwyaid o gornfflecs yn ei geg hyd nes oedd ei ên yn llefrith byw.

Ac allan â fo. Wrth iddo danio injan yr hen jagiwar coch llamodd y gath oedd wedi bod yn cysgu o dan y car i ddiogelwch.

'Lewis!' gwaeddodd ar ei hôl. A Classic FM yn chwarae 'O mio babbino caro' ar radio'r car.

'Ma hi'n *all go*!' meddai'r rhingyll oedd yna i'w gyfarfod pan gyrhaeddodd Ros-y-Gad, y gweundir uwchben Blaenau Seiont. 'Hyn bora 'ma. Ac uffar o ddamwain. Glywsoch chi? Gwraig Pari DuPa Holdings. A dau o'i blant o.'

* * *

Y pnawn hwnnw cerddodd Dulyn rownd cefn y tŷ. Man nad oedd o wedi bod ynddo ers dwn 'im pa bryd. Lle tywyll, llaith. Hyd yn oed ar ddiwrnod reit braf, heulog fel hwn yng nghanol Chwefror, roedd y lle'n dywyll. Y llanasd o dyfiant – rhedyn, deiliach, prysgwydd, coediach, mieri – yn tywallt o'r ardd oedd yn dringo i fyny o'r tŷ. Y llwybr cul, concrit wedi ei staenio gan glytiau o ddail marw a hyd-ddo hwnt ac yma yn beli brown yr afalau oedd wedi disgyn y llynedd o'r ddwy goeden yr oedd eu brigau heddiw wrth iddo edrych i fyny yn llydan ar agor fel nerfau neu fel crafangau rhyw aderyn enfawr oedd o fewn dim i'w gipio. Teimlodd ei hun yn anadlu'n drwm yn y lle cyfyng yma rhwng talcen y tŷ a'r wal fechan oedd yn bochio am allan oherwydd pwysau'r pridd yn gwthio yn erbyn y brics di-ddim. Yn sydyn suddodd ei droed i'r gwter agored a honno'n llawn o'r hen afalau meddal, slwtj. Cnociodd badell ei ben-glin yn erbyn y concrit. Teimlodd y gwlybaniaeth o fadrondod yr afalau yn lledu hyd ddefnydd ei drowsus. A'r oglau melys ond sur yn codi i'w ffroenau. Ni fedrai symud o'r fan. Clywodd sŵn dŵr yn y beipen oedd yn arwain i'r gwter. Gwelodd ddŵr llwyd, llawn sebon yn codi hyd ei goes gan lifo'n ewynnog o'i gwmpas. Hynny ddeffrodd y boen yn ei ben-glin? Yn y deiliach clywai ryw gynnwrf. O'i flaen roedd y fynedfa, y ffordd allan, yng ngwacter bwa o gerrig. Clywodd eilchwyl sŵn y dŵr yn y beipen a'r munud nesaf bwll seimllyd yn lledu o'i gwmpas. Hedfanodd bronfraith fawr o'r drysni wrth ei ymyl yn twt-twt-twtian wrth fynd.

'Pwy bynnag sy 'na rhowch gora i chwara hefo'r ffycin tapia 'na,' gwaeddodd o'i unman.

Agorwyd ffenestr yr ystafell folchi uwch ei ben a daeth corun moel i'r golwg.

'Pwy sy 'na? Duwadd! Mr Pari! Be da chi'n 'i neud yn fanna? Deud 'ch padar? Musus ofynnodd i mi alw. Washar 'di mynd ar y tap dŵr poeth. A dwi 'di newid yr un dŵr oer hefyd. Rhag ofn. Mrs Pari, allan yndy hi? *Da chi'n gwbod lle ma'r goriad, Sbei,* medda hi. Ond o'dd y drws ar agor. Dyna nath fi feddwl fod Mrs Pari rownd y lle'n rhwla. Hefo'r hen hogyn bach.'

Â'i ddwy law yn sgriffiadau a llaid, triodd Dulyn godi ei hun drwy gydio yn y beipen ddu blastig. Ond roedd ei ddwylo'n llithro hyd y düwch.

'Hen betha sâl 'dy'r hen betha plastig 'na, Mr Pari. Rhei huar lot gwell. Gwell gafal. Da chi isio hand, Mr Pari?'

Cododd Dulyn ei ben o'r diwedd i edrych ar Sbei Morus (hen beth brwnt galw'r mab ar ôl castiau'r tad yn sbeio ar gariadon yn hwyr yn nos ar draeth y Foryd) ac ag un hwrdd sythodd Dulyn ei hun i'w daldra a theimlodd ei droed yn sugno'n rhydd o gynnwys y gwter. Gwasgodd ei ddannedd ynghyd i drio mygu'r boen yn ei ben-glin.

'Free of charge heddiw, Mr Pari! Ma arna i gymwynas

i'ch Musus chi. Ond mi ddudodd hi y baswn i'n ca'l hen CD player Rhodri yr hen hogyn bach. Mae o 'di ca'l un newydd tydio? Wyddoch chi ddim lle ma'r CD player debyg, Mr Pari?'

'Tydy o ddim yn free of charge felly, nacdi, Sbei! Ond triwch y sdydi. Eniwe ma hi 'di marw. Hi a Gwawr a Rhys.'

'Dewcs annwl,' meddai Sbei Morus. 'Wedi marw. Rargol. 'Na chi beth.'

A cherddodd Dulyn yn herciog gan redeg ei ddwrn yn erbyn y wal gerrig nes tynnu'r croen. Ac allan â fo drwy wacter y bwa.

* * *

Ychydig wedi deg, pan oedd y byd yn lle gwahanol ac yntau'n rhywun arall, fisoedd yn ôl, flynyddoedd yn ôl, ganrifoedd yn ôl, fore HEDDIW y gwelodd Dulyn y car heddlu'n llithro ar hyd y dreif. Hen deimlad od ydy edrych ar bethau drwy ddybl-gleising. Dim o sŵn y car yn crensian ar y graean. Dim sŵn drws yn agor. Nac yn cau. A'r ddau heddwas yn dweud dim wrth ei gilydd wrth gamu'n fudan tua'r tŷ. Ond y gloch drws ffrynt hyglyw. Geiriau weithiau ydy'r peth olaf i gyrraedd. Eisoes roedd yr wybodaeth yn gnofa yn ei gyllau. Nid oedd raid i'r ddau ar y rhiniog ddweud dim. Geiriau ydy'r peth olaf i gyrraedd.

'Ia?' meddai. Ei un gair twp, diddeall tra roedd ei stumog yn gwybod. Simsanrwydd ei goesau'n rhugl.

'Mr Pari? Mr Dulyn Pari?'

Cachgwn ydy geiriau. Tra roedd eu llygaid yn siarad yn eglur.

'Ydy nhw wedi marw?' meddai Dulyn yn talfyrru.

Gwelodd Huan Ellis yr adar bach yn gryndod aflonydd ar frigau'r goeden, yn tician o gangen i gangen. Gwelodd ddryw maint eiliad. Syllodd yn ôl i wynder ei ddyddlyfr, ei law oedd yn dal y beiro wedi fferru ychydig fodfeddi uwchben y papur ac yntau'n trio cofio rhywbeth yr oedd Coleridge wedi ei ddweud yn un o'i lythyrau(?) – beth oedd o? – rhywbeth am fel yr oedd y Beibl yn ein darllen ni yn hytrach na ni yn darllen y Beibl, pan ddaeth Lleucu a chlymu sgarff silc goch yn dynn am ei lygaid. 'Shht!' meddai a thynnu ei ddwy fraich yn ôl yn giaidd. Daliodd ei ddwylo ag un llaw tra datododd gwlwm rhimyn hir o silc gwyrdd oedd am ei chanol â'r llaw arall. Gwnaeth hynny â rhwyddineb a chlymodd ei ddwylo â'r silc gwyrdd. Teimlodd yntau ei ddwylo'n oeri ac yn merwino gan mor dynn oedd y cwlwm. 'Ydy hwnna'n brifo?' meddai hi. 'Ydy o? Ma poen yn grêt, tydy. Mm?' Ac wrth iddo agor ei geg i'w hateb teimlodd ddefnydd sych yn rhedeg ar hyd ei ddannedd gan dorri i mewn i gorneli ei geg wrth iddi glymu silc arall, un porffor, yn gwlwm caled tu ôl i'w ben. 'Ti fel polyn Calan Mai,' meddai, 'hefo'r holl liwia 'ma.' Â'i cheg dawnsiodd hyd ei gorff. Ei hanadl yn sglefrio'i wyneb. 'Hogla fi!' meddai wrth iddi dynnu ei llaw o gyfrinach wlyddar fforch ei choesau a'i dal o dan ei drwyn fel petai hi'n begera. Gwlychodd un o fysedd ei llaw arall yn ei dirgelwch. Gwthiodd y bys i fyny un o ffroenau Huan. Cododd ei sgert dros ei thin a lledodd ei choesau dros ei wendid. Suodd o ochr i ochr nes oedd defnydd ei drôns, fe wyddai hi, yn wlyb socian. Llithrodd am i lawr nes oedd ei gwefusau ar ei falog. Â'i dannedd agorodd ei sip. Tyrchodd i'w drôns. 'Ma mela bôls dynion fel llenwi bag efo ciwi ffrwts,' meddai. 'Ond ty'd mi ddŵad â fo i'r fei.' Neidiodd ei goc yn glicied i'r aer. A'r gwythi bychain porffor a choch hyd-ddo fel 'sbio ar fap ordnans syrfe,' meddai wrth gladdu ei hen beth yn ogof ei cheg a'i thafod yn feri-gorownd ar yr helmed a'i glafoer yn twchu wrth i'w ddŵad ei dewhau. 'Wn i be w't ti isio rŵan,' meddai â'i ddŵad yn hongian dros ei gwefus fel eisin ar gacan, ac wrth iddi wthio ei bys rhwng bochau ei ben-ôl cofiodd yntau y dyfyniad o Coleridge: *In the Bible there is more that finds me than in all the other books I have experienced.* A dim ond sŵn sgriffiad y beiro ar y ddalen lân yn torri ar wacter yr ystafell. Fel sŵn y pìn ar ddiwedd record ar ôl i'r gân ddod i ben. 'Ond pwy bellach sy'n gwbod be ydy EP?' holodd Edgar Owen mewn ystafell arall. Wag.

– VI –

Gwyddai Dulyn fod torf o'i ôl yn y seddi yn y capel. Fel pryfed marw ar lintel ffenestr y garat yn sgleinio'n galed ddu-las yng ngolau pŵl y gaeaf drwy'r gwydr llawn-gwe adra sdalwm. Pryd fuo fo mewn lle fel hyn ddiwethaf? Dwrdio oedd duw. 'Paid!' a 'Na!' ei ffefryn eiriau, cofiodd o'i blentyndod. A phenelin ei Fam yn ei 'senna a *Bistaw!* pan oedd o'n cicio'r sedd o'i flaen â'i esgidiau newydd (*Clarks rheina!*) a'r gweinidog yn mynnu *tyda ni ddim yn deilwng ohonot Ti*. Ond rhywbryd bu i dduw roi'r gorau i siarad gan adael ar ôl ond ei ddistawrwydd. Y pnawn hwnnw roedd y lle yn llawn o ddistawrwydd duw. Edrychodd Dulyn ar y tair arch. Fel tri da-da anferth lliw taffi ar ymyl y Sêt Fawr. Y Sêt Fawr fel ceg bag. A'r geiriau *wedi ei fyw y mae dy fywyd* yn procio yn ei grebwyll drwy gydol y malu cachu Cymraeg yna a elwir wrth y gair crand 'cynhebrwng'.

* * *

O'r fynwent gallai Rhodri weld enfys rhywle tua Rhos-y-Gad. (*Sbia!* meddai ei Fam wrtho un diwrnod, *Hen ddynas flin yr awyr, weldi, wedi cnoi'n lliwia ni i gyd a'i cheg hi'n gam. 'Enfys' ydy ei henw hi. Ond tasa ti'n rhoid dy ben rhwng dy goesa ac mi fedri di! paid ti â gwrando arnyn nhw! mi fydda ti'n gweld 'i bod hi'n gwenu. Ond dim ond chdi a fi sy'n gwbod hynny. Paid ti ag edrych ar betha fel pawb arall. Sbia di'n wahanol.*) Yn gwgu. Yr hen bitsh oedd wedi cnoi'r lliwiau nes roedda nhw'n diferyd hyd ei gweflau hi. Ond petai o'n medru rhoi ei ben rhwng ei goesau mi fyddai hi'n gwenu. Ond fedra fo ddim rhoi ei ben rhwng ei goesau. Fedrwch chi ddim os yda chi mewn cadair olwyn. Pam mae pobol mewn oed yn meddwl y ca nhw ddeud clwydda wrth blant? Ei Dad oedd yn iawn siŵr: *Cripl ydy o, Dwynwen, a ma pawb yn gwbod hynny ond chdi.*

Ond gwyddai Rhodri rywbeth arall hefyd. Os oeddech chi yn rhoi dŵr ar bridd, mi roedd o wedi gweld ei Fam yn gwneud, toc mi ddeuai i fod yn gawod o liwiau. A dyna oedd yn rhaid iddo fo ei wneud rŵan, rhoid dŵr ar ei Fam a'i Frawd a'i Chwaer ac mi fydda nhw toc yn dŵad yn ôl yn gawod o liwiau. Dyna sy'n digwydd i bobl felly pan mae nhw'n marw, troi'n lliwiau.

* * *

Newydd ddŵad i'r tŷ yda ni, Dad, llais Gwawr yn ei ben. Fynta wedi ffonio i ofyn oedda nhw'n iawn gan nad oedd o na Dwynwen yno i'w gollwng nhw i'r tŷ, a tybed oedd ganddyn nhw oriad, ond roedd o wedi gadael un o dan y pot bloda, a nodyn mewn amlen ar y drws, 'Gwawr a Rhys' wedi ei ysgrifennu ar yr amlen, i ddweud hynny, *newydd ddŵad i'r tŷ yda ni, Dad,* a'r 'ni' yn deffro rhyw gynhesrwydd ynddo na allai unig blentyn fel fo fyth ei adnabod a phetai o yno byddai Gwawr ar ôl newid o'i dillad ysgol yn syrthio'n swp ar ei draws i adael iddo fo gydiad ynddi hi a llithro ei law fymryn i fyny ei jympyr ac ar hyd ei chefn, y mymryn lleia, goglais â'i fys ddau lwmpyn o'i hasgwrn cefn, *sws i Dad* a'r mymryn lleia o rywioldeb yn y sws, hogan fach ar ei phrifiant yn dychmygu mai rhywun arall oedd ei Thad, 'cariad' na feiddiai ei swildod ei enwi, a'i thad yn gofidio bod ei *hogan fach* yn tyfu fyny. Ac yn y plentyn roedd o wedi cael cip ar y ddynas. Y gofal dros bawb, *ti'n iawn, Dad?* ei llofft yn batrwm o drefn a'r diwydrwydd *tydy hi ddim munud llonydd bob amser yn gneud rhwbath*, a'r ofn ynddo fo y byddai hi'n *un hawdd i gymryd mantais arni*, bob amser yn ceisio cymodi os oedd ffrae a rhywsut yn rhoi ei hun fel y pris am y cymod, a'r diffyg hyder *tydy hwn ddim gwerth*, a'r tlysni genethaidd, y bochau gwritgoch, y gwefusau fel blaen rhosyn cynnar, y llygaid clir siâp almon, y trwyn smwt, tlysni plentyn fyddai'n ffrwydro'n brydferthwch dynas rhyw ddiwrnod, *sdynar* fel y byddai ei Dad yn ei ddweud am wraig arall ymhell o glyw ei Wraig ei hun. Ond cip gafodd o. Roedd y ddamwain wedi ei diffodd am byth. Cip, fel y mae rhywun yn cerdded ar hyd stryd o dai a rhywun arall yn agor drws ffrynt ei thŷ i godi potel lefrith o'r sdepan drws ac mae hi'n codi ei phen yn sydyn a da chitha'n cyfarfod â'i hedrychiad am chwinciad ac ma hi'n hannar gwenu a thu ôl iddi hi drwy'r drws cilagored mi welwch chi'r pasej ac efallai bram neu sglein ffyn golff ac mae hi'n tynnu ei dresing gown yn dynnach amdani wrth godi'r botel, sythu, troi a chamu'n ôl i breifatrwydd ei chartref a chau'r drws ac mi ryda chitha wedi cael cip ar fywyd rhywun arall. Dyna gafodd o hefo Gwawr. Rhyw gil-agor drws pwy oedd hi. A chlep derfynol, bendant ei marwolaeth yn ei gau am byth. Ac felly hefo Rhys hefyd. Er nad ydy'r berthynas rhwng Tad a Mab mor . . . ddim . . . ddim mor . . . ddim mor groen ar groen rhywsut. Ond agos gwahanol.

Arhosodd Dulyn ar ymyl y bedd. Y bedd siâp drws. A Dulyn yno ar y trothwy. Roedd o eisiau dweud rhywbeth. Roedd geiriau'n sgrialu hyd ei ymennydd fel piwiaid bach ar noson o haf.

Gollyngodd y geiriau rhwbstrel yn rhydd dros riniog y pridd. Oedodd yn nhrybestod iaith. (*Yda chi'n barod, Mr Pari?*) Oedodd. Fel petai o'n disgwyl i'r geiriau ddychwelyd yn llond eu hafflau o ystyr, yn sbriwsiog, yn gwenu bron *da ni'n ôl, Dad, ocê! ocê!*, Dulyn *dwi'n gwbod mod i'n hwyr.* 'Be?' meddai yn troi rownd at Edwin Moss yr yndyrtecyr. 'Oedd hwnna'n lyfli send off,' meddai rhywun. *Mae cyn amled yn y farchnad groen yr oen a chroen y ddafad,* medda rwbath arall yn tynnu ar ei ystorfa o ddywediadau addas i'r achlysur fel ma nhw'n deud. Trodd Dulyn i wynebu pawb. A'r galarwyr o'i ôl fel pegiau ar lein ddillad yn dal dim.

'Am adra â ni, Rhodri,' meddai o, 'mond chdi a fi rŵan.'

2

Anarchiaeth y cnawd

– I –

Trannoeth y cynhebrwng roedd y cymylau distaw uwchben yn ddyrnau duon yn cael eu cadw yn eu lle'n llonydd gan ryferthwy'r gwynt o'r cyfeiriad arall. O isod gallech ymdeimlo â'r ynni, â'r egni oedd uchod fel petai'r duwiau ymysg ei gilydd yn setlo hen gythrwfl gan adael i blant y llawr am ychydig wneud fel y mynno nhw yn ddi-ffawd, yn ddireol, yn ddibwrpas. Yn anarchiaeth y cnawd. 'Llewc arwynebol ar natur,' ysgrifennodd Huan Ellis, 'sy'n arwain pobl i feddwl ei bod yn datguddio rhyw dduw. Yr un un lliwiau sydd yn y machlud ag mewn tiwmor. Colur yw'r cyfan ar hap a siawns a dihidrwydd.' Tu ôl iddo, fe wyddai, roedd Lleucu yn trywanu ei chorff noeth â lipstic.

– II –

Edrychodd yn y drych. A theimlodd rywbeth afiach. Nid y bloneg oedd yn chwyddo'i fol canol-oed. Na'r colesterol ychwaith oedd yn olew marwol yn ei wythiennau. Ond yr hyn oedd y tu ôl i'r adlewyrch. Rhywbeth gwag. A daeth i'w gof o wyliau un Pasg giledrychiadau slei gofalwr ifanc pwll nofio yn Agadir yn sbio ar dwmpath o dwristiaid gwyn yn torheulo o gwmpas y dŵr yn yr Hotel Kamal. A chofiodd y dirmyg yn llygaid y Mwslim ifanc. Dirmyg nid yn ogymaint at yr hyn yr oedd o yn ei weld ond at yr hyn nad oedd o yn ei weld. Yr hyn nad oedd yna. Yn y gwacter. Ymysg y crwyn oedd yn cochi a sŵn slempian yr hylif gwarchod-rhag-haul ar y cluniau, y tinau, y bronnau. A rhywun wrth ei ymyl, cofiodd, yn sugno aer drwy sdrô o waelod gwydr côc. Rhag ofn fod llymeityn ar ôl. A rheseidiau o sbectols haul yn adlewyrchu gwynder muriau'r gwesty. A'r dwylo pinc oedd yn dal *Maxim* a Jilly Cooper, *GQ* a Val McDermid. Y cyrff sgleiniog, gwlydder oedd yn gwingo o'r pwll fel petai nhw'n cael eu tynnu o'r dŵr gan fach a lein rhywun anweledig. A rhwbio'r olew yn ffyrnig i'r coesau a rhwng bodiau'r traed, hyd blymonj y bol, er mwyn cwcio'r cnawd yn yr haul ffyrnicach. A'r Mwslim ifanc yn ciledrych i bob twll a chornel, hwnt ac yma, fyny ac i lawr, rhag ofn i un o'r rhein foddi neu lithro ar y llysnafedd ar ymyl y pwll a'i ddŵr asur, asur, asur.

Wrth ail-fyw y pnawn hwnnw yn Agadir drwy gamcorder ei gof gwelodd Dulyn ei hun yn y drych o'i flaen yn cyffwrdd ei gorff â chledr ei law, yn curo ei hun, fel petai o'n chwilio am rywbeth yr oedd o wedi ei golli. Goriadau, tybed? Leinshans ddreifio? Ei waled? Be uffar oedd o? Be ti 'di golli, boi? *Are you going to order a drink*, meddai rhywun ar *rewind* ei gof. Ac ar yr un pryd cerddodd yr hogan heibio yr oedd ei chorff bron-perffaith (ia! perffaith) yn llifo mewn ac allan o'i bicini du a'i goc yn cledu *fel huarn Sbaen* (dywediad ei Fam) yn ei dryncs nofio *rhy-fach-ichi, Dad* ar ffast-fforward ddoe a sylweddolodd nad oedd ganddo newid mân yn ei boced i fedru rhoi'r arian cysáct, ia! ia! cysáct!, i Ifor Llefrith oedd yn pwyso'i fawd yn hegar yn erbyn y gloch drws ffrynt a dwi'n fforti-seven medda fo mewn syndod wrth y drych oedd yn cymryd pob dim i mewn ac yn ei chwydu'n ôl.

33

– III –

Mae yna goel – ydy hi'n wir? Be wn i! – sy'n honni bod unrhyw un sydd yn cael ei eni â rhyw nam neilltuol yn gwneud iawn am hynny drwy gryfhau un o'i gyneddfau eraill. Felly yn ôl y goel yma y mae clyw'r dall yn feiniach a gweld y byddar yn finiocach. Beth felly am Rhodri Pari nad oedd nac yn medru siarad na cherdded? Ymhle ynddo'i hun y mae'r mud a'r parlys yn canfod iawn am anfadwaith natur?

Wrth gwrs, y mae hyn i gyd yn rhagdybio y syniad o berffeithrwydd, o norm a normalrwydd, a bod unrhyw wahaniaeth i'w gyfrif fel 'nam', fel *O! biti*, fel *mae'n ddrwg gin i 'achan!*, fel *pam fo neu hi?*, fel 'pechod'.

Ti'n berffaith fel ag yr wyt ti! meddai Dwynwen Pari wrth y bwndel bach o gnawd cynnes wrth ei hochr o'r enw Rhodri a'i wasgu, weithiau i'w bronnau, dro arall i'w boch. Y 'fel ag yr wyt ti' 'na oedd anhawster pawb arall, pobl y perffeithrwydd. Pobl y mae stori'r Cwymp yn lol botas maip deallol iddyn nhw ond yn wirionedd emosiynol cysáct yn eu hymwybod. Pobl sy'n cael eu plagio gan rym rhyw berffeithrwydd y bu iddyn nhw ei golli neu ei fradychu nid mewn amser nac yn hanesyddol ond yn barhaol yn y seici. Baich perffeithrwydd y mae nhw'n ei gario'n feunyddiol wên deg. I'r rhain y mae'r Golled Erchyll yn rialiti dyddiol. Tijars a bancmanijyrs, twrnïod, beirdd, dynion a merchaid busnesau bychain (caffis a meysydd carafannau), mi wyddoch chi amdanyn nhw, y bobl chwedl Mam sy'n rhy neis i gachu. A phan y bo nhw'n bwyta o'r ffrwyth (ac y mae hynny'n aml) yn Eden eu hisymwybod mae nhw'n gofalu mai mewn cyfandir arall y tu mewn i'w personoliaethau y digwydd hynny, yn hafod o'r golwg eu hendre bob dydd (mae i bawb ei dŷ ha' yr yswn ef gan gywilydd ac euogrwydd ac ofn cael ein dal). Y chwarae mig parhaol yma â ni ein hunain y mae gorthrwm rhyw berffeithrwydd na allwn ni fyth ei gyrraedd yn ein gorfodi ni iddo. Mi ryda ni gyd yn chwarae gêm. Ni? Ia! ni! – dwinna'n rhy neis i gachu hefyd.

Ond nid felly Dwynwen Pari. Fe wyddai hi fod mwy nag un ffordd o fedru siarad. Doedd yna run 'norm' yn ei thagu hi. Bellach. Ymddihatrodd o ormes perffeithrwydd flynyddoedd yn ôl.

Darganfu Rhodri ei famiaith pan welodd Dwynwen o'n syllu ar wynder dillad y Sister ar y ward blant. *Gwyn!* meddai hi'n dechrau sgwrs ag o. Y sgwrs gyntaf. Ond nad oedd neb yna i gofnodi'r wyrth. (Pethau bychain sy'n digwydd yn y diarffordd ydy gwyrthiau, beth bynnag, a does neb yn nabod gwyrth ar y pryd.) *Gwyn! Mm!* meddai hi. A'r 'Mm!' yn gyforiog o bleser. *Gwynias!* meddai hi. A dyma hi'n ei godi fo i'r ffenesdr. *Sbia!* meddai ar lesni pŵl y pnawn hwnnw o aeaf croywoer a chodi ei law fechan i fwytho'r lliw. *Ti'n ei licio fo?* a'i gorff bach yn llefaru'n ôl â hi. *A drycha! Gwyrdd!'* meddai hi'n gosod ei law ar ddail y planhigyn yr oedd ei Mam wedi ei anfon iddi. *A sbia o dan y dail y gwyrdd twllach. 'Na ti hen liw ych-a-fi'n te! A nachdi ych-a-fi arall,* meddai hi am farnish brown y cwpwrdd erchwyn gwely. *Brown! Er mai coch ydy brown yn Gymraeg. Torth goch fydda dy Nain yn ei ddeud am Hovis. Ych-a-fi!'* medda hi drachefn a'i ysgwyd o i gyd i mewn iddi hi ei hun. *A sbia, ma'r melyn yma'n hymian,* meddai hi am oleuni swnllyd y tiwb ffloresant. *A does 'na ddim lliw yn fama weldi. Lliw dim byd,* meddai hi am liw dim byd gwydr lle'r nyrsys. *Ond y mae lliw dim byd bob amser yn dwyn lliwia erill. Adlewyrch mae nhw'n galw'r dwyn yma. Weli di'r coch yn y lliw dim byd? O'r tiwlips 'na'n fancw mae o wedi ei ddwyn yli. A'r piws 'na o glawr y ffeil ar y ddesg. A ti'n gwbod be ma nhw'n galw hwnnw? Tyrcois. Ac o le mae lleidr y lliwiau wedi dwyn y tyrcois dŵad? O fancw drycha! O'r fâs wag 'na sy'n dal bloda pobol sâl. Ond tyda ni ddim yn sâl yn nacdani, cyw? Da ni ar ben 'n digon tyda ni! Chdi a fi. Y ddau iacha yn y byd.* Ym Mabel y lliwiau.

'Be ti'n neud?' meddai Dulyn o ddrws y ward.

'Siarad da ni'n de!' meddai Dwynwen wrth Rhodri.

A Rhodri'n sbio ar dei gwyrdd tywyll ei Dad, fel y gwyrdd tywyll o dan ddail planhigion.

'Fedar o ddim siarad!' clywodd Dwynwen Dulyn yn ei ddweud wrth ei Fam ar y ffôn. Wrth gwrs ei fod o'n medru siarad y basdad mudan i chdi meddai Dwynwen yn ddwfn ynddi ei hun, yn ei distawrwydd ei hun, chdi sy ddim yn medru'r iaith y Cymro unwaith i ti. Iaith y lliwiau. A rhwng y ddau dechreuodd y rhyfel oer. *A du ydy hwnna*, meddai hi. Yn ei wasgu'n dynnach ac yntau'n syllu'n daer i gefn cwpwrdd oedd yn ogof o ddüwch.

Tydy du ddim yn lliw go iawn, sdi. Dinistrydd pob lliw ydy o. Yn sugno'r lliwiau i'w grombil ei hun. Drycha oren! A hithau'n ei droi i gyfeiriad balŵns oren oedd yn betalau llipa'n hongian o'r nenfwd. Ond yr oedd ei lygaid wedi eu dal gan y du. Dinistrydd y lliwiau.

– IV –

Ond plentyn wedi ei ddwyn i fyny hefo perffeithrwydd oedd Dulyn Pari. (Mi ddylsa chi fod wedi gweld drôr dillad isa 'i Fam o. Roedd o 'di sbecian. Yn aml. A'u teimlo nhw. Dwy resiad o nicyrs wedi eu plygu i'r un maint. A'u smwddio? Wrth gwrs! Mi roedd hi'n gwilydd rhoid rheina am din neb.) Yn ei emosiynau, lle difrycheulyd ddylai'r byd fod. *Gad mi edrach arna ti!* (Ei Fam.) *Heb flewyn o'i le! Ba farc ges ti?* (Fynta'n deud.) *Da! Be gafodd Siôn?* (Fynta'n deud.)

Mm! Nid da lle gellir gwell! Ac mi oedd yna sawl un o gwmpas y lle oedd *wedi cael ail.* (Y gŵr rong; y soffa nad oedd hi'n fargen wedi'r cwbl; yr holide of a leifftime droth yn ddisastyr.) Y mae idiomau'r iaith yn arwain at y perffeithrwydd yma, a phwrpas idiom bob amser ydy troi profiad amlochrog a chymhleth yn rhagfarn or-syml; idiomau, oedd yn rhan annatod o brifiant Dulyn. Roedd cael mab anabl felly yn . . . wel! . . . yn . . . (oes 'na idiom, dwch, am beth fel hyn?). Be fedar rhywun ei ddweud? . . . *Be yda ni wedi ei neud o'i le?* meddai ei Fam yn sbio ar ei hŵyr bach yn ei got. A'i meddwl hi'n llawn o bethau second rêt, rijects – tolc mewn tun swp yn Pepco; sdamp wedi ei ludo rwsud-rwsud ar amlen *o! blêr a'r cwin ar 'i phen i lawr*; cyllath a fforc yn cael eu dal i'r golau a'u troi ffor hyn ffor arall i weld os oedda nhw'n lân; *sdopia'r car 'ma bendith dduw ma gin i ladyr yn 'n hosan.* Hyd yn oed y fasgiad fargeinion Assortments and Reductions yn hen Siop Lias sdalwm *paid! gad lonydd iddyn nhw! ma 'na rwbath yn bod arnyn nhw ma raid!* Mae bywydau'r rhelyw yn llawn o ryw gosb gudd anniffiniadwy, rhywbeth nad ydy o yna mewn gwirionedd ond sy wastad yn dyfod ar eu gwarthaf hwy. *Witja di befo,* meddai hi wrth Dulyn ar y ffordd allan o'r ysbyty ar ôl ei hymweliad cyntaf. *Ail o'n i, Mam! Wijta di befo!* A'i dannedd hi'n dynn wrth ei gilydd.

'Cydiad yno fo, Dulyn!' meddai Dwynwen pan ddaeth o'n ôl i'r ward. Gwyrodd yntau ei ben. Ei freichiau am allan. Yn gyfochrog fel petai'n dynwared godre'r llythyren H.

'Fedra i ddim!' meddai.

A rhuthrodd am allan. Heb flewyn o'i le. Nid da lle gellir gwell. Wedi cael ail. Ac mi oedd hi'n hen smwcan bwrw. Yn bwrw hen wragedd a ffyn, fel mae nhw'n deud, yn diwadd. Fel o grwc.

37

Fel sŵn obo ymysg petalau'r rhosynnau a'r awel o liw indigo. Wrth iddo gael ei amgylchynu gan wynder y blodau siasmin a lliw fioled. Ac yn ei galon hiraeth am yr hyn na wyddai beth oedd o. A phorffor oedd lliw yr hiraeth. Ac yntau yng ngardd tristwch. A lle'r dyheu. Porffor. Indigo. Fioled. Gwelodd drwy deimlad ei lygaid lliw saffrwn. Pob lliw yn ddeud. A glas. Glas lapis laswli. A lliw ei Fam farw yn deud *O'r garreg lapis laswli o Affganistan wedyn yr holl ffordd ar hyd y Lôn Silc ac i Fenis ac i ddwylo Titian ac i lygaid Pawb*. Lliw oberjin. Lliw ffigys. Piws egwan garlleg. Ond lliwiau cynddaredd. Lliw concrit. Lliw tywod budur. Lliw pridd. Lliw dŵr ar ymyl pafin. Lliw tîars. Lliw dur. Lliw cur. Y cochni du oedd ar ddillad isa'i Fam withiau. Poen y lliwiau. Wedyn lliw'r môr wedi'r machlud. Yn gwthio'r golau glas-oer o'i grombil a'r cymylau uwchben yn groen eirin. Glas jacaranda. Indigo gwddw paun. Tyrcois y plu. Y coed yn gynffon paun. Poen. Mond drwy newid llythrennau. A theimlo lliw gwahanol. Lliw oedd yn brifo. Sgrytian y lliwiau. Fod lliwiau yn iaith. Fel y mae adar yn siarad hefo'i gilydd drwy liwiau eu plu. A blodau yn hudo drwy liwiau. Roedd geiriau'n brifo. Oherwydd roedd o wedi gwrando ar ei Dad a'i Fam yn hwyr yn nos. A'r ddau yn gwaedu geiriau.

Mae o'n chwerthin, sbiwch!

Ti'n wershin dwt!

Ac yntau'n gwenu oherwydd bod y machlud yn adenydd parot. A'r haul yn toddi'n grib ceiliog.

Ma raid 'i fod o'n hapus!

'Cabajan ydy o!' gwaeddodd ei Dad ym maes parcio'r ysbyty.

'Ma Mam 'di marw. Ti'n dalld! Wedi cael 'i lladd. A dy

frawd. A dy chwaer. A mi wt ti ar ôl. Wel deud rwbath!'

A'r lliw gwyrdd yn tasgu o'i Dad. Gwyrdd cabajan.

– VI –

Cofiodd Edgar Owen i'w hen athro cemeg holi: *Da chi'n meddwl chi blant mai plastig EP ydy'r unig beth sy'n medru cadw lleisiau a chaneuon, hwyrach fod yna nifer o ddefnyddiau eraill sy'n medru cloi synau o'u mewn ond i ni gael yr offer iawn i'w hatgynhyrchu nhw . . .* Oedd pren, dybad, yn medru dal llais? meddyliodd wrth rwbio tîc ffug y bwrdd. A be am bacad Frosties? Plastig potal domato sôs? Aliwminiym teciall? Tjeina cwpan? Oedd lleisiau ei wraig a'i blant wedi eu dal gan bethau yn y gegin? Ac y medrai eu clywed eto yn ei holi, yn ei gyfarch, yn smala hefo fo, yn gwylltio hefo fo, ond iddo fo gael y teclyn priodol i'w datgloi? 'Na!' meddai yn uchel i'r distawrwydd crintachlyd oedd yn gwrthod ildio dim . . . 'Mae pob dim yn darfod. Pwy bellach sy'n gwbod be ydy EP?' Fe'i dychrynwyd gan ei lais ei hun yn pellhau oddi wrtho i fudandod. Y mudandod sy'n dal pob dim. Sy'n we anweledig am bob dim.

Yr oedd y gair 'metacarpal' wedi glynyd yn ei gof. Gair y clywodd y patholegydd yn ei ddefnyddio pnawn 'ma wrth godi llaw yr eneth y darganfuwyd ei chorff yn gynharach yn y dydd. I law pwy yr oedd y metacarpal yn perthyn? Pwy oedd wedi cydiad yn y llaw? Be oedd y llaw wedi ei ddal ar un tro? Llaw caru. Llaw bwyta. Llaw sychu tin. Llaw llywio car. Llaw *popo! ylwch!* Llaw *sgriffiad. Mam! ga i blastar.* Ymddiried dy law i mi. Ty'd! Ty'd!

* * *

'Yma eto, Ditectif!' meddai'r dyn oedd yn edrych ar ôl y mortiwari.

'Sbio! Dyna be ydy gwaith ditectif . . . A gwrando . . .'

Petai chi wedi medru rhoi ffrâm o'u cwmpas nhw, 'nhw'
– Edgar Owen a chorff yr hogan, yr hogan yr oedd y
ditectifs eraill wedi ei henwi'n 'Brwynwen', *found her in the
brwyns, aye*, meddai un, ond nid Edgar Owen ac nid oedd
neb yn meiddio defnyddio'r llysenw yn ei ŵydd – ia! petai
chi wedi medru rhoi ffrâm o'u cwmpas mi fyddai'r llun fel
un gan Sickert, y Walter Sickert y dywedodd David
Sylvester amdano, *Sickert was only an eye, but what an eye!*, y
Sickert hefyd y mae ambell un dyfeisgar ei ddychymyg
wedi hawlio oedd Jac ddy Ripyr, a heddiw mi oedd Edgar
Owen yn eistedd wrth y corff yn debyg iawn i *Summer
Afternoon or What shall we do for the rent!*, un o luniau
Camden Town Sickert.

Edrychodd ac edrychodd – *what an eye!* Cofiodd fel yr
oedd ganddo pan oedd yn blentyn fodel plastig tryloyw o'r
corff dynol ac fel yr oedda chi'n medru codi'r bol ac wedyn
o un i un godi'r organau, y coluddion gynтaf, wedyn yr iau,
wedyn y sdumog, yr ysgyfaint ar ôl hynny a'r galon fechan
goch ac fel yr oedd modd agor y corff i gyd, y ddau hanner,
a thynnu oddi yno yr ymennydd a'r ysgerbwd gan adael ar
ôl ond yr haneri tryloyw.

Ond rhywbeth o wneuthuriad dyn oedd plastig. Nid
oedd natur yn dryloyw. Ni fedrid gweld trwyddi fel drws
agored . . . fel ffenestr ar agor . . . i rywle arall . . . i
bosibilrwydd gwahanol . . . Cau oedd o'i flaen . . . cnawd
wedi ei gau . . . yn duo . . . y lliwiau tywyll . . . haenau o
biws . . . dail hydref yn slwtj ar ymyl y pafin . . . a'r lliw yr
oedd o wedi ei gasáu erioed, brown.. . . lliw wardrobs . . .
lliw cachu . . . lliw pridd . . . lliw rhwd . . . lliw hen beipan
yn diflannu i gwter . . . *O! Edgar Bach, sbia golwg arna ti, ti 'di
gweld dy hun? Trwsus du a sgidia brown* . . . fedra fo ddim
gweld drwy liwiau'r corff yma i atebion . . . i enw, i stori, i
hanes . . . Doedd y corff yma ddim yn siarad hefo fo . . . A

rhywbeth sydd wedi ei gonsurio allan o eiriau ydy'r byd . . .
iaith oedd yn medru mynd tu draw i bethau, nid cyrff . . . y
llythrennau ansylweddol wedi eu ffurfio o aer, siâp y tafod
a'r lle gwag rhwng y dannedd a'r gweflau, a'u hanfon ar
ddisberod y dychymyg oddi wrth y corff trwm, trwsgl
oedd yn sdyc ar y ddaear . . . ac yn duo rhyw ddiwrnod fel
y corff yma o'i flaen . . . *ydy'r cig 'ma'n iawn dŵad*? clywodd
ei Fam yn holi ei Dad bob nos Wener wedi i
DeifiJohnBwtsiar fod, *sbia mae o'n duo* . . . a'i Dad yn araf yn
codi'r cig at ddüwch ei ffroenau blewog gan ddrachtio'r aer
. . . *dwn 'im* fydda fo'n ei ddeud a rhoi'r cig yn ôl i'w Fam
a'r gwaed yn hel fel siâp gewin anferth ar ymyl y plât
enaml gwyn ac un tolc du ynddo . . . gwyrodd yn nes at y
corff fel ei Dad at y cig . . . roedd ei lygaid yn erfyn am
atebion . . . ond fedar corff ddim siarad . . . dyna beth ydy
marwolaeth . . . diwedd iaith . . . dim paill geiriau i fynd
ymhellach, yn uwch, yn ddyfnach na disgyrchiant y cnawd
a'i ogwydd parhaol tua'r llawr tua'r ddaear tua'r pridd . . .
y cnawd oedd bellach yn galed . . . yn gwneud iddo gofio
am y blodau ffug rheiny oedd yn ffenasd parlwr ei Anti
Annie a'u petalau coch a melyn a phiws yn galed o'u
cyffwrdd . . . yn dynwared byw . . . *rhaid i flodeuyn farw siŵr*,
clywodd ei Dad yn ei ddeud yn giamllyd wedi i'w chwaer
daeru *na fedri di ddim deud y gwahaniaeth 'ma nhw fel rhei go
iawn* . . . gwelodd er mawr cywilydd iddo yn fforch ei
choesau yn chwydd un o'r tiwlips artiffisial rheiny yn
sgrech o gochni y bu iddo drio gwthio'i fys i'w ganol caled
plastig un tro gan dorri'r croen hyd at waedu a lluo'r
gwaed a'i gael yn felys . . . a daeth drosto eto yr ymdeimlad
a ddeuai bob tro yr edrychai ar gorff fod rhywbeth
hanfodol wedi dianc . . . mai absenoldeb yw corff . . . rhyw
finws . . . negydd . . . fod y geiriau 'nid' a 'nad' yn hongian
uwch ei ben fel fwlturiaid . . . fel arferiad hurt ei Dad ers

talwm wrth chwilio am giwb Ocso yn ysgwyd y tuniau . . .
ysgwyd tun ar ôl tun wrth ymyl ei glust . . . *dim byd mond
sŵn gwag yldi,* fydda fo'n ei ddeud gan rannu'r gwacter â'i
fab . . . y ddau yn clustfeinio ar ddim byd mewn tun *yn
gegin* . . . roedd o'n clustfeinio ei chnawd . . . cylchodd a
chylchodd ei bol . . . roedd o yn ei thwtsiad hi o'r diwedd
. . . â blaen ei fys fel petai o'n dynwared troelli record . . .
gwranda ar Mario Lanza, meddai Dad yn chwythu'r llwch o'r
LP . . . a swigan fechan o'i boer yn mynd rownd a rownd
wrth i'r llais llawn cracia llawn hisian ganu *Drink! Drink!
Drink!* ac yntau'n holi sut ma hynna'n medru digwydd a'i
Dad yn deud *magic achan* . . . fel petai o'n trio gwrando
drwy'r madru ar synau ei bywyd . . . rhywun yn galw ei
henw . . . ei sŵn hi'n caru . . . yn byta . . . yn piso . . . yn
rhyfeddu . . . yn malu awyr . . . yn marw y noson(?) honno
pan holltwyd ei phenglog â mwrthwl (*a claw hammer* yn ôl
yr adroddiad) . . . a hithau'n gweld drwy gaddug ei llygaid
ei llofrudd . . . yn wahanol i'r cyrff erill roedd y corff yma
yn crefu arno . . . gwyrodd drosti . . . cusanodd y gweflau
. . . ei gwefusau . . . fel petai o'n wironeddol gredu y byddai
cyffyrddiad ei gnawd twym o â'i chorff oer hi yn dŵad â
phethau at ei gilydd . . . y minws a'r positif . . . fel llenwi
cafn gwag â dŵr clir . . . fel rhoid 'nid' yn sownd wrth 'nad'
. . . nid nad oedd neb yna . . . fel cyplu'r gair 'Owen' wrth
wacter y gair 'Edgar' i sadio pethau . . . ac fe'i clywodd o hi
do! yn symud ar hast yn ei ddychymyg yn ei slipas fel deud
y gair 'llofft' drosodd a throsodd yn gyflym . . . llofft! llofft!
llofft! . . . a'i chlywed hi'n dod i lawr y grisiau ac ar hyd y
teils oer, y slipas cyflym yn nid-nadio ar hyd y teils oer . . .
nid nad nid nad . . . nes sefyll o'i flaen . . . *Meddwl y basa
chi'n licio cwpanad o goffi,* meddai'r gofalwr gan osod y myg
wrth draed y corff. A'r myg yn sdemio.

* * *

O ddyddlyfr Huan Ellis:

'Mae duw yn ormod o faich i mi ei gario bellach. Fel arall rownd oedd hi i fod. Duw oedd yn gwneud y cario. Duw oedd yr ateb i bob dim. I fod. *Yr* Ateb, hyd yn oed. Ond y mae ei bwysau o bellach yn affwysol. Pwysau cwestiynau: pam? sut? yn bennaf. Ar ôl y Rhyfel Mawr. Ac Auschwitz. A Hiroshima. A marwolaeth plentyn fel y gwyddai Ivan yn iawn. Ar y cychwyn aeth Duw Rhagluniaeth yn "ddirgelwch" (*Ydy! Mae hi'n anodd deall pethau*). Wedyn yn anhawster (*Oes! Y mae yna broblemau*). Wedyn yn fewnfodol (*Nid y duw oddi allan, trosgynnol, ond y duw oddi mewn i ni sy'n gwaedu hefo ni*). Wedyn yn ddelwedd (*Llun o'n dyheadau dyfnaf ni ydy "duw"*). Wedyn yn air mewn brawddeg (*Mae'n dibynnu sut yr yda chi'n defnyddio'r gair "duw" ym mrawddegau ein byw bob dydd ni*) wedyn yn ddim byd rhwng dyfyn-nodau ("   ").

Wedyn heb y dyfyn-nodau (   ).

Wedyn yn ddistawrwydd llethol.

A hwnnw, ie! hwnnw sy'n fy mhlagio i. Y Distawrwydd Llethol.'

Edrychodd Huan ar yr holl lyfrau oedd yn ei amgylchynu. Y llyfrau yr oedd o wedi clustfeinio ymysg eu geiriau rhag ofn iddo glywed smic o'r Distawrwydd Llethol yn symud yn fusgrell ar ffyn y brawddegau. Roedd o wedi byw rhwng y clustfeinio a'r mudandod ers cantoedd. Wedi edrych ar ddrws cloëdig. A'r drws cloëdig wedi troi'n wal. Edrychodd o'i gwmpas. Am Lleucu.

43

3

Dear Lexy, Dear Bill.

Edrychodd Sbei Morus ar wyneb uwd yr awyr hwyr o'i guddfan yn y llwyni yng ngardd Bryn Cloch. *Agwy Mawr!* mi roedd o'n colli Dwynwen Pari. Ac wrth sylweddoli gin gymaint yr oedd o yn ei cholli roedd hynny fel agor drws rywle'n ei fol, drws i adael i mewn holl golledion eraill ei fywyd. A gwnaeth y funud honno yr hyn yr oedd wedi ei wneud hefo'r colledion eraill rheiny erioed; eu sdwffio nhw hefo dicter fel yr arferai weld ei Fam yn sdwffio un hosan i'r hosan arall wedi iddyn nhw sychu ar ôl golchiad a'u lluchio nhw'n hegar i'r tjesdo'drors. Slamiodd ddrôr tu mewn iddo'i hun.

'Mi ca i di, Dulyn Pari,' meddai fel smic ynddo'i hun a sleifiodd o'r llwyni at y drws ffrynt gan dynnu llygoden fawr farw o'i boced a'i gollwng drwy'r letyr bocs.

Clywodd Dulyn Pari sŵn y letyr bocs o'r ystafell fyw. Dyna chi ddeud gwirion, meddyliodd, *ystafell fyw!* Lle'r oedd y dodrefn a'r geriach eraill yn sbio arno'n gondemngar. Ar be ti'n sbio? meddai wrth fâs wydr Murano nad oedd o erioed wedi ei licio hi. A thaflodd y fâs yn erbyn yr hen bitsh 'na o ddresal nes oedd ei gwydr amll-iwiau yn chwalu'n ddarnau gloywon i bobman. Edrychodd mewn arswyd ar y lle gwag lle bu'r fâs. *Does yna ddim byd yna mwyach*, sibrydodd fel petai o wedi ei orfodi i ddarganfod rhywbeth. *Dim byd*, meddai fel petai o'n ceisio cywasgu'r wybodaeth i lai o eiriau. *Dim*, meddai i greu llai fyth. Syllodd ar y gwacter fel tasa fo wedi neidio dros eiriau i nunlle.

Ym mhawb y mae'r distawrwydd. Ynom trwy'r adeg. A phan ddiflannwn oddi ar wyneb y ddaear ein distawrwydd a erys. 'Dwynwen, ti yna?' holodd Dulyn ei distawrwydd. 'Ti 'na, Gwawr? Chditha, Rhys?' Y distawrwydd a adawsant ar ôl sy'n llawn dop ohonynt, eu pethau, eu lleisiau, yr hyn ddywedson nhw, yr hyn na ddywedson nhw, eu dirgelion. A'u dirgelwch, yr hyn sydd yn eu gwneud nhw'n nhw a neb arall. Heb yn wybod iddo bron roedd Dulyn yn croesi'r trothwy i ddistawrwydd ei wraig a'i blant. I gofio. I chwilio. I loffa. Yn anturiaethwr yr oedd o'n camu i'r cyfandir hwnnw a alwn ni yn *rhywun arall*.

Dringodd y grisiau ac aeth o ystafell i ystafell yn ogleuo pethau. Fel petai ogleuo pâr o sanau, siwmper, ffrog, cap *baseball*, llyfr ysgol yn medru consurio'r perchnogion marw yn ôl i'w cynefin. Roedd o yn drybola o ofergoel hiraeth. Y funud honno credai unrhyw beth. Fe'i dadebrwyd gan sŵn dobio. Rhuthrodd i ben y grisiau. Yno yn y gwaelod roedd Rhodri'n taro ei gadair olwyn yn ddi-baid yn erbyn y ris olaf a'i ddwrn am i fyny.

'Bistaw!' gwaeddodd i'w gyfeiriad. Ond yn fwy egnïol fyth dyrnodd Rhodri ei gadair olwyn yn erbyn y ris, ei ben i lawr gan chwifio ei ddwrn.

'Rho'r gorau iddi hi, nei di,' meddai'n dawel y tro yma gan gerdded i lawr y grisiau. Pob cam yn gadarn, bwyllog, benderfynol. Pan oedd o fewn tair gris i'w fab agorodd Rhodri ei ddwrn gan ryddhau i'r aer y lliw glas, sgwâr bychan o bapur sidan glas yn gryndod pilipalaidd yn yr aer.

'Rho'r gora iddi hi, nei di!' A gwthiodd y gadair olwyn â blaen ei droed o ymyl y grisiau. Trodd ac esgynnodd y grisiau'n ôl lle roedd agor drorsys a theimlo pethau, mwytho gobennydd a rhwbio papur wal, yn rhan annatod o alcemi cofio.

Nid oedd yna ddim byd iddo lawr grisiau.

A glaniodd y lliw glas ar deils oer y pasej.

Ac yn y lliw glas, yn ei chrynswth, yn ei chyfanrwydd, gwyddai Rhodri, yr oedd ei Fam. Nid oedd hi wedi marw. Ond wedi troi'n lliw.

Yn ystafell wely ei wraig cododd Dulyn ei ddwylo yn sydyn i'r awyr a gwneud siâp hel a siâp dal â nhw. Fel petai o'n trio hel a dal clytiau o oleuni o be oedd yn weddill o'r golau dydd yn yr ystafell. Ei ddwylo gorffwyll yn heidio sbarion y goleuni at ei gilydd yn union fel y gwelodd ei Fam ers talwm yn cythru at y lein ddillad pan oedd hi newydd ddechrau bwrw gan gipio â'i dwylo'n wyllt y dillad sychion *rhag iddyn nhw dampio*. Ataliodd Dulyn. Sylweddolodd fod ganddo lond ei hafflau o ddüwch. Llamodd at y switsh golau a'i daro ymlaen.

Glaniodd ei lygaid ar ddrôr isa'r tjesdo'drors oedd yn arfer perthyn i'w Fam (*Antîc honna riw ddiwrnod*, clywodd hi yn ei gof. *Licio honna. Yr unig beth dwi yn 'i licio. Ga i hi?* meddai Dwynwen wedi marw ei Fam.). Agorodd y drôr a dechreuodd loffa.

Tynnodd allan hen sgrabwc ysgol. Trodd y tudalennau. Llun o Teddy Kennedy. 'Mary Jo Kopechne,' sibrydodd yn cofio, 'a Dike Bridge a Chappaquiddick.' Mewn llun arall roedd Jack Ruby yn saethu Lee Harvey Oswald. Edrychodd ar Alexander Dubček a thanciau'r Undeb Sofietaidd yn rowlio ar hyd strydoedd Prâg. Daeth yr enw Jan Palach i'w grebwyll. Gwelodd wên anferth y Maharishi Mahesh Yogi ar stesion Bangor hefo'r Beatles. Clywodd lais o ben pellaf ei ymwybod yn dweud bod Screaming Lord Sutch yn canu yng Nghlwb Ffwtbol Nanlla Fêl. Ar glawr y sgrabwc roedd y teitl 'Current Affairs' a'r enw 'Dwynwen Roberts Form IV' a rhywun wedi rhoi llinell drwy'r 'Roberts' a dodi

'Robaitsh of Portdinorwic' uwch ei ben. Gosododd y llyfr ar y carped.

Parhaodd i chwilota. Pamffled: *Cymru Rydd, Cymru Gymraeg, Cymru Sosialaidd*. Copi lecsiwn '74 o'r *Cymro*. O! y flwyddyn oedd wedi addo cymaint. A'r llun o'r Ddau Ddafydd. *Sideburns* anhygoel Dafydd Êl fel tyfiant o fwsog bob ochr i garreg a chwlwm teis anferthol y ddau a lapeli mawrion eu siacedi a fynta'n rhoid cweir i hogyn o Dalsarn am i hwnnw ddeud *Ti rioed yn licio'r Wigley Spearmint Gum 'na!* Llythyr at rieni Dwynwen oddi wrth TWW yn cadarnhau eu hymddangosiad ar *Siôn a Siân* a'r ddynas 'na oedd wedyn yn deud y tywydd yn cyflwyno'r *cwpl nesaf a beth mae eich gŵr yn ei wisgo gyntaf yn y bore? ei sanau! naci! ei fest!* oedd yr ateb cywir! *O!* a Dai yn canu *Calon Lân yn arbennig i chi Olwen Thomas o Gwm-y-Glo.* Rhaglen *Alffa Beta* (yr un flwyddyn â *Language of Love*) ac enwau'r actorion John Ogwen a Maureen Rhys a'r tro cyntaf iddo fo glywed y gair 'ffwcio' ar lwyfan Gymraeg a rhywun ym mar Theatr Gwynedd (yn yfad orenjêd oedd o'n cofio, Iesu!) yn deud wedyn fod y peth yn *ddichwaeth*, gair allweddol ym meirniadaeth lenyddol y cyfnod hwnnw ynghyd â'r ymadrodd (eisteddfodol!) *ni ddylid cyhoeddi'r gwaith*. 'Ti'n gweld be fedar drama ei wneud?' meddai Dwynwen ab Iago (fel yr adwaenid hi bryd hynny) yn uchel yng nghyntedd y theatr newydd sbon 'ar ôl sychdir gor-lenyddol John Gwil a Huw Lloyd Edwas a ffwcin (fel petai hi ishio deud y gair Cymraeg newydd dros bob man fel actor) snobs dramâu Saunders. Ond,' meddai'n llawn siomiant, 'cyfieithiad oedd honna.'

'Ty'd!' medda finna, 'ma pobol yn sbio.'

'Wel! biti na fasa nhw wedi sbio'n iawn ar y ddrama 'na da ni newydd ei gweld te!' meddai hi'n uchel. 'Ni ddylid cyhoeddi'r gwaith,' meddai hi'n uwch, 'tydy'r Cymru

Gymraeg ddim yn barod am y ffasiwn beth.'

'Ma nhw'n meddwl bo chdi 'di meddwi,' medda finna.

'Do! mi rydwi. Wedi meddwi ar gyfieithiad.'

'Dwynwen! Lle ti 'di mynd?' ochneidiodd ar ei ben-ôl ar y carped a'i law yn ffureta yn y drôr agored gan dynnu i'r fei lun ohoni – tybed? – yn ei harddegau? hefo'i rhieni? o flaen ffatri Brewer Spinks yn Sdiniog adag y brotest, placardiau yn eu dwylo. Hi. Mam ei blant. Hi a fu farw. Hi a nhw a fu farw.

Ond lle peryglus ydy pen draw drôr. Fel rhoi eich llaw o dan wrych i chwilio am rywbeth coll, rhywbeth diniwed fel pêl neu gribin wair, ac mae eich bysedd chi'n rhwygo ar wydr potel gwrw wedi malu. Ond nid eich dwylo chi sy'n rhidens wrth ymbalfalu yng ngwaelod drôr. Ond eich emosiynau chi! Fe eill rhywbeth mewn gwaelod drôr falu'ch bywyd chi yn racsjibidêrs. Rhywbeth? Rhywbeth fel llythyrau Lexy. *I'm sending you your letters back. I have forfeited my right to own them.*

Agorodd Dulyn y bocs glas ac yno roeddan nhw. Llythyrau Lexy. Darllenodd hwnt ac yma o'u plith.

Dear Lexy

That's you! I wanted to call you by a name that no-one else uses. A kind of re-baptism, to use an old imagery. (God! I wish we could find new secular images so that we don't have to constantly use the defunct christian ones – God, says he, just noticed!) Lexy! My name for you. Do you mind?

Shortly after we met at that bar after the Palme d'Or sometime into the conversation you said: But I'm Welsh! What was that about? I've thought about it and it intrigues me. As if Welshness was a sin (there I go again!) or a disease. A kind of contamination you carry around with you. Are all Welsh people like that? I love the way your tongue writhes around the words as you speak, Lexy! Don't patronise me I hear you say! But hey! You don't have to excuse anything about you.

Hope you like the Bob Cobbing – bit rude but nice, eh? Nearly got you a Motherwell. Some anal-retentive little Exec from Kansas beat me to it.

All my love as always,

Bill.

PS They call the Oval Office the Oral Office now! Clinton's on the run with Starr and Tripp sniffing up his arse. Shame! He could have been a great President.

PS – again! Read your review of the 'Beat' Takeshi film. Liked it but don't agree. *Sonatine is* the better film.

Dear Bill

Lexy, eh! I've always thought that people have a secret name, a name that they have to find, come across. A name that really describes who they are, that *names* their innerness, the deepest part of them where they are most themselves. Perhaps you stumbled across my real name and gave it to me. I've found this man – no! not a rival darling – Huan (can you say that!) Ellis. Very helpful. Good to talk to as you suggested. So, I told all this to the marvellous Mr Ellis and he said that people should have many names to describe their journeys through their lives but that no one name can ever capture their essence which is always a mystery, a beyondness – *something beyond language*, he tells me. God (sorry!) he said in some traditions, the Islamic?, has a thousand names just because he is essentially unnameable. Yes, please!, call me Lexy. What I have with you needs a new name. For new me!

49

Dear Bill

. . . I don't want to live superficially any more. I want to live deeply, dangerously . . . We find in ourselves voyages . . . distances to travel . . . but we never do . . . I am a destination I never reach . . . a forbidden city I never enter . . . I am a victim of banalities . . . a prisoner of the superficial . . . Make my body a dangerous place, my love . . .

Dear Bill

. . .

. . .

. . . Don't feel guilty about all this, guilt is a Welsh prerogative remember! You haven't taken me away from anything. You've merely woken me up to the fact that there's nothing there any more . . . *Nothing will come of nothing*. How's your Shakespeare? . . . It's as if you held my marriage up to the light like a piece of cloth and it's all frayed . . . You've seen through it! And enabled me to do the same . . . Isn't that what human living is about – waking one and other to who we really are . . .

Dear Bill

. . .

. . . The trouble with Welsh-speaking Wales, only one aspect of that generic name 'Wales', is that it has no capacity for self-reflection and hence no self-criticism. Either everything is *gwych* ('fabulous', I suppose, to translate), the most over-used word in the language, or *mae o'n crap* ('it's crap'!). If ever there was an actual resurgence of the language (which I now doubt) they would be flummoxed. They need to feel persecuted. They need their second-rateness. I should say 'we' shouldn't I? There I go, see, a good dose of guilt Cymraeg has overwhelmed me! I'll wash it all away with a nice soapy bath. Coming?

Of course, London is possible! What a lovely 'chaperone' the BFI is for the both of us! Old Dul blind as a bat to all this! . . .

Dear Bill

. . .

Dulyn thought that once he had married me he had found me – 'got' me. He never understood that marriage or any other relationship for that matter is the constant searching for the other person you have already found. Why do so many marriages end on wedding days? . . .

Dear Bill

. . .

. . . Your present was lovely. Dulyn never knows what to give me. A present from Dulyn is never something thought out but guessed at, something snatched from a shelf on his way home from work . . .

Dear Bill

. . . Wales is so small now. An emotional cubby hole. Everything is huge in a child's memory, don't you think? Chocker with massive things. As when I returned some two years ago to my old home and went into the garden which in childhood seemed spacious and large but in my adult reality was minuscule. Wales has become like that for me. It's too small for the me that I have become. Wales is a place you have to leave and try to find again, if you want to! . . .

. . . Yes! Yes! The Edinburgh Festival! Mike Leigh's latest – that's why I'm going you understand!

Dear Bill

. . .

. . .

. . . How dull Dulyn is! Those trips of his to Manchester hotels. Business trips!! *Got to do it! Got to go!* – how lacking in imagination. Lying should give your imagination a treat! But not our dull Dul. He was always too wedded to the truth. He can only manage clichés – *Got to do it! Got to go!* I married a mediocrity . . .

. . .

. . . I can't 'do' the States, Bill! You know that! A few days here and there. Rhodri could not cope. Phone me!
All my love
Lexy

Dear Bill

. . .

. . .

. . . and the pain of having a handicapped child . . . the why me? of it . . . the why I muffled inside until it became a silent scream for years . . . how I allowed other people to have my revulsion for me . . . Anger by proxy . . . At first I had to make myself hold him like you have to make yourself clear up sick . . .

. . . How I craved a normal child . . . How at the same time I hated that word 'normal' with its overtones of 'perfection' and 'imperfection', the nasty dualisms of our lives – 'good' and 'bad' people. But I felt a bereavement. A bereavement I hid. The ostensible doting mother who wept bitterly inside. No one saw it, least of all obtuse Dulyn. Until eventually I reached a place of acceptance and deep love for my Rhodri. But the cost of all that! The sometimes unbearable cost of it all past the tut-tutting of Dulyn's sanctimonious mother – what a bitch! – and his own palpable hatred of his own son . . .

. . .

. . . Thanks for the phone call. But are you all right? There's distance in your voice . . . Miss you,
Lexy

Dearest Lexy

Yes! I need to come clean. Yes! my absence in 'no letters, no phone calls' means the 'presence of someone else'. All men are cowards! Facts are brutal things!

Fact: Our meetings are too infrequent. The rest love-making in the words of letters.

Fact: Words are no substitute for seeing, touching, smelling, fucking, eating with you, holding . . .

Fact: You won't come to the States. No-one can win against Rhodri. Not even me. Thanks!

See! Words are no substitute. Goodbye my love – words are cruel too. Cobeithio ceidi hud i bech ti'n cwilio am. I'm sure that's wrong but you know what I mean.
Bill

PS I'm sending you your letters back. I have forfeited my right to own them. They need to return to their source.

Dear Bill

Got your letter and all mine back!

Since then I've been preoccupied with death. The death of someone you deeply love. What is death? It's a theft, isn't it? From the deepest part of you, the Lexy part. You've been ransacked. Something is taken away that will never be returned. That cannot possibly be returned. Who you really are, your very self, is diminished by it and when you say 'me' afterwards you can put your hand in the void and bring out handfuls of nothing, can't you? Can't you?

She's a lucky woman.

What have you called her?

A chlywodd Dulyn ei llais o dro'n ôl yn rhefru wrth iddi fodio drwy *Llais Llyfrau, mae'r safonau mor uffernol rŵan fel y cyhoedda nhw rwbath-rwbath.* Edrychodd ar ei brad Saesneg yn glytiau fel conffeti mawrion – conffeti! – hyd y llawr. Arglwydd! Roedd hi wedi troi'n gyfieithiad, y Lexy 'ma.

Cododd Dulyn ac aeth i edrych arno'i hun yn y drych – *there's nothing there any more* – clywodd ei llais dieithr o'r tu cefn iddo. Yr anghyfiaith. A daeth gweddill ei dieithrwch yn ôl ato. Damaid wrth damaid. Fel y llyfrau peintio rheiny y byddai ei Dad yn ei brynu iddo yn Siop Pritchadbach pan oedd o'n blentyn, y lluniau oedd yna'n barod ond yn gêl yn llawn lliwiau cudd, y ddalen yn cogio gwynder, hyd nes i chi ei rhwbio â brwsh gwlyb gan beri i'r llun ddyfod i'r fei fesul dipyn dan hud y gwlybaniaeth.

A thrwy wlybaniaeth ei lygaid i'r fei eto, o'i hôl yn ddieithr, daeth Dwynwen, ie! Dwynwen. Dieithrwch düwch ei gwallt. Glo ei llygaid. Ei dillad llaes bob amser, llathenni o ddefnydd o'i chwmpas, jiwylri piwtar ac arian solat, trwm am ei gwddw a'i garddyrnau, y clustdlysau. A pham ei bod hi mor ddieithr bellach? Oherwydd ei marwolaeth? Mawredd, naci! Oherwydd ei affêrs o? Twt, fela ma dynion withia. Y mae bod mor agos at rywun yn creu dieithrwch! Difaterwch priodas. Sut mae darganfod rhywun o'r newydd yn wastadol yn y beunyddiol sdêl? Roedda nhw mor agos nes tyfu'n ddieithriaid. Trwy fod hefo'i gilydd roedda nhw wedi peidio ag adnabod ei gilydd. Yn union fel y mae rhywun sy'n byw hefo un sy'n gwaelu yn methu â gweld y dirywiad. Rhwng dau y mae angen trydydd bob amser i beri gweld, i gonsurio adnabod. Trydydd: fel marwolaeth, fel yr iaith Saesneg, fel Ianc sy'n ffwcio dy wraig di.

Ond a oedd o erioed wedi ei charu hi? *Be ydy cariad?* chwedl Prins Tjals ddydd ei ddyweddïad â Diana. Wydda fo, Dulyn, be oedd cariad? Bod mewn cariad. Caru rhywun arall. Rhywun nad oedd hi yn estyniad ohono fo ei hun. Yno i ddiwallu ei anghenion o. Ond rhywun arall hollol, annibynnol, ar wahân iddo fo. Beth ydy caru yr arall hollol yma? Ynteu'r cwbl oedd Dwynwen ac o oedd dau yn ffwrnais emosiynol JMJ ym Mangor – arglwydd! doedd 'na 'geinia wedi dyweddïo y flwyddyn honno a'r rhan fwya erbyn diwedd eu gyrfa golegol wedi gwahanu. Pam ddaru o a Dwynwen bara, *sdicio hefo'i gilydd a setlo lawr?* Er mwyn diffeio ei Fam, er mwyn rhoi dipyn o barddu ar y *gwyn y gwêl?* Am fod yna rai eraill ar ei *hôl hi – watja dy hun ma 'na lot yn ffansïo honna* – ac mai ras oedd y cwbl? Be ydy cariad?

Ydy hi'n bosibl cofio emosiwn? Sut deimlad oedd y teimlad pan welodd o hi gyntaf? *Ti ddim yn 'y ngweld i mwyach, Dulyn!* Ond pwy welodd o y pnawn Sadwrn oer hwnnw o Ragfyr, ei gwallt a'i chlustiau'n dynn o dan gap coch a'r oerni i'w deimlo'n tasgu o groen ei hwyneb, y croen lliw riwbob cynnar, hi'n dŵad am i mewn, fynta'n mynd am allan, 'mae hi'n ofnadwy,' meddai hi a'r gair 'ofnadwy' yn ei rwystro fo rhag mynd ymhellach fel drws yn cael ei gau ar bawb arall ond nhw eu dau, 'yndy hi?', meddai o yn ddychryn i gyd ac ogla ei hoerni yn ei amgylchynu fel pleser, 'ddoi di am banad i gnesu?' medda fo, 'sa hynny'n neis,' medda hitha y Sadwrn olaf hwnnw ddiwedd y tymor Nadolig? Honno oedd moment y caru, y syrthio mewn cariad? Rhywbeth cêl ynddo fo'i hun yn cyfarfod rhywbeth yr un mor gyfrin ynddi hi. Rhyw finws ynddo fo yn cydio mewn rhyw bositif ynddi hi fel magnedau. Pwll ynddi hi yr oedd rhywbeth ohono fo yn llifo i mewn iddo. Ac yn ei lenwi. Dyna be ydy cariad? Rhyw lun ar fagnetiaeth yn y cnawd, rhyw ddisgyrchiant yn y nerfau sy'n tynnu'r un yma at yr un acw. Rhywbeth hollol amhersonol yn y diwedd fel eogiaid yn dychwelyd i'r un afon, gwenoliaid yn canfod eu ffordd yn ôl i nyth y llynedd, ond sydd yn peri i ni ryfeddu serch hynny a'i wneud o'n rhywbeth hollol bersonol, unigryw, ffantastig yn benodol i'r ddau yma (*a marriage is made in heaven*, chwedl ei Fam, pam nad oes yna idiom Gymraeg am y ffasiwn broses?) a neb arall. Y pnawn hwnnw yn nrws ffrynt JMJ iddyn nhw fynd yn emosiynol batj i'w gilydd fel newid gêr, fel tynnu lifyr a pheri i rywbeth ddigwydd. Petai o funud yn ddiweddarach! Petai hithau wedi cymryd ffordd hirach yn ôl o'r dre! Ond na! Nid hynny ddigwyddodd. I rai dyma ragluniaeth. I eraill damwain. I'r lleill cyd-ddigwyddiad. Be ydy cariad? holodd Dulyn ei hun yn y drych a'r Dwynwen ddieithr farw o'i ôl, y Lexy newydd ei darganfod hyd lawr mewn llythyrau yn fancw. Damwain! meddai. Damwain sy'n achosi newid gêr yn y *synopses*, tynnu lifyr mewn *endorffin*. Ond o hynny ymlaen dewis oedd y cwbl. Dewis cynnig panad. Dewis derbyn. Dewis cyfarfod y noson honno i fynd i weld ffilm (*diawl! wyddwn i ddim ma* Language of Love *oedda nhw'n 'i dangos yn y cwt chwain 'ma – sori!* – ond Iesu! – dyma chi gyd-ddigwyddiad handi) a'r agosatrwydd yn eu seddau yn peri i fwy o gêrs a lifyrs gael eu tynnu a'u gwthio a'u newid yn nhrybestod o'r golwg eu cyrff ieuanc, chwilfrydig, parod. Yr amhersonol, oherwydd dyna sy'n digwydd mewn bioleg, yn canfod iaith ac felly'r personol yn *dwisio chdi* ac yn nhanbeidrwydd *dwi'n dy garu di* a'r cwbl yn troi yn y diwedd yn arferiad, yn ceulo yn y beunyddiol syrffedus. Dyna beth ydy priodas? Arferiad? Dygymod? Cyfaddawd? Penderfyniad i aros yn ffyddlon?

I'r un y pnawn Sadwrn hwnnw y lloriwyd o gan ei phrydferthwch. Ei chroen lliw jiws eirin. Ei gwefusau cochion fel lliw siwt Santa Clôs. Ei dannedd gwlyddar, gwynion. Snwffian ei thrwyn. Hi! Y cwbl ohoni yn ei pharsel o ddillad gaeaf yn cynnig ei hun iddo. A'i lygaid yn ei llewcio. Ei ddwylo yn ei hagor. A'i chnawd yn rhoi caniatâd iddo.

Enw ar ddewis, felly, ydy cariad. Ond y mae ambell un yn blino ar ddiflastod dewis gan ddyheu am anarchiaeth amhersonol dopamin, y lifyrs a'r gêrs yn nhryblith y cnawd. Roedd drysau eraill lle'r oedd dau'n mynd yn batj i'w gilydd ar ddamwain. Ac fe fedrech chi greu 'damweiniau', drysau gwestai a llofftydd, drysau swyddfeydd, pob math o ddrysau. Ac yng ngheg y drysau yna yn amlach na heb roedd Dulyn Pari, oedd yn sbio arno fo ei hun rŵan yn y drych brwnt.

Yn y man gadawodd y llofft a daeth i ben y grisiau lle'r oedd ei fab o'r gwaelod yn sbio i fyny i'w gyfeiriad. Edrychodd Dulyn yn ôl ar Rhodri. O bwll ei sdumog daeth eto y teimlad a ddaeth iddo pan welodd Rhodri gyntaf erioed, y teimlad oedd yn dod ac yn dod ac yn dod o hyd ac o hyd ac o hyd fel ton ar ôl ton ar ôl ton pan edrychai'r tad ar y mab. Y teimlad oedd wedi aros fel man geni annileadwy. Nid casineb. Ond rhyw gyfog emosiynol. Y torri ffwrdd oddi wrth ysgymun-beth. Y teimlad yna. Fel gwisgo dillad tamp ar ôl cael eich dal mewn cawod drom a da chi'n bell o adra ac yn dyheu am gael diosg y dillad sy'n glynyd yn 'ch croen chi. Y dyheu i ddiosg, hwnnw oedd y teimlad parhaol yn Dulyn wyneb yn wyneb â Rhodri. A'r nyrs yn ei ddal i fyny i'w roi ym mreichiau agored Dwynwen a Dulyn yn gweld y coesau llipa yn hongian fel petai nhw'n llusgo yn yr aer. "Dy'r coesa 'na ddim yn gweithio,' methodd ag atal ei hun.

57

Clywodd sŵn weindio-watj olwynion y gadair olwyn yn diflannu i'r düwch lawr grisiau. Daeth yntau i lawr ac i'r gegin dywyll. Llamodd at y sdof am ddim rheswm a chynnau un o'r hobs yn gylch o lesni ffyrnig yn chwyrnu i'r düwch. Camodd yn ôl i ganol y llawr gan deimlo'i hun fel ynys a geriach y gegin yn troelli'n froc hurt o'i gwmpas.

'Oddachdi'n gwbod cyn ei eni fo fod hwn fel hyn?' clywodd ei hun yn holi yn ddoe. 'Wt ti'n gwbod yn iawn be fydda nhw'n 'i alw fo! Sbastic! Pen rwdan! Pen meipan! Ffrîc!'

'Ond ynochdi ma'r enwa, Dulyn!'

'Ia, rŵan! Ond witja di! Mi wn i be ydy plant! A phobol mewn oed hefyd.'

'Be ti'n neud?' meddai Dwynwen yn edrych ar Rhodri'n edrych ar y cylch o fflamau bychain glas ar y sdof. 'Licio hwnna?'

A dyma hi'n troi'r nobyn i'r pen nes cynyddu maint y fflamau.

'Ynys Las yli! A ma 'na ynysoedd erill. Drycha!' meddai hi'n goleuo'r gweddill. 'A ma teulu'r Sosbans yn dŵad yma ar eu gwylia.'

Ac o'r cwpwrdd tynnodd y sosbenni.

'Ond un flwyddyn mi oedd yr hen betha Ffreimpans 'na wedi cyrraedd o'u blaena nhw, rêl caridyms, hen dacla.'

'Be ti'n neud?' clywodd Dulyn ei hun o'i orffennol wrth sbio ar ynys las y nwy yn holi Dwynwen pam oedd hi'n adrodd ryw stori wirion i Rhodri am sosbenni neu rywbeth, 'wastio gas?'

'Deud stori da ni,' fe'i clywodd drwy'r blynyddoedd coll. 'Be sa ti'n galw deud stori? Wastio geiria?'

Yn nrws y gegin edrychai Rhodri ar ynys las ei Dad. Wrth edrych arni, ei glesni, daeth lliwiau eraill i'w gof. Lliwiau da-da. *I ni'n dau, jysd chdi a fi*, meddai ei Fam wrth agor

pacad o *wine gums*. *Coch 'Burgundy' i chdi. Du 'Port' i mi.*
Gwyrdd 'Claret' i chdi. Coch arall 'Burgundy' i mi. Melyn crwn
'Sherry' i chdi. Du 'Champagne' i mi. A dyma hi'n arllwys
cynnwys y bag cyfan o flaen Rhodri. *Ond dwi'n dwyn coch*
'Burgundy' yn ôl. Rhodri! Mae gin i gariad yn Merica. Ond chdi
sy'n dŵad gynta. Chdi! Neith Mam ddim gadael. Addo! Wir yr!
A'r ddau wedyn yn bwyta'r dystiolaeth. Ac ar y ffôn hefo
Merica yn hwyr yn nos a'i Dad ddim yna a'r plant eraill yn
cysgu'n sownd mi oedd ei geiriau hi'n lliwiau stori Icarws,
yn lliwiau *wine gums*, yn *white hot*, yn *green with envy*, yn
purple rage, yn *black dog*, yn *blue murder*, yn *yellow coward*, y
geirliwiau oedd yn medru teithio'r daith hir dros Fôr yr
Iwerydd a'r daith fer i lofft Rhodri.

Dododd Dulyn y teledu ymlaen yn y gegin.

'For fifty pounds then,' clywodd Chris Tarrant yn holi
Jeff Beckwith from Sunderland married to Ann who's in the
audience they have one little girl Charlie who's at home
with her grandmother and rooting for you tonight, Jeff,
your hobbies include go-kart racing and potato carving
that's an unusual hobby tha's right Chris what was the
surname of President Clinton's Vice President was it a Bore
b Door c Four or d a diffoddodd Dulyn y teledu.

Agorodd y ffrij a honno'n dechrau hymian a'i thu mewn
yn olau glas i gyd lle'r oedd un gacen wy yn dal yn y bocs,
roedd o wedi byta'r llall ganol nos, a darn o gaws oedd yn
dechrau cledu a chracio o gwmpas yr ymylon am nad oedd
o wedi ei orchuddio'n iawn â'r *cling film* ac un sgleisian o
ham yn cyrlio fel tafod esgid yn y plastig, a darn o
giwcymbyr oedd yn brysur yn gwsnio, potel o lefrith a'r
llefrith yn cawsio. Agorodd gwpwrdd y ffrîsyr a'r oerni'n
tasgu allan yn gudynnau gwynion, gwlân rhyndod. Yno
roedd paced agored o ffishffingyrs ond run ffishffingyr. O
dan drwch o rew roedd yna lasania *WeightWatchers* a *Linda*

McCartney sosejis, sut gwydda fo mai petha llysieuol oedda nhw, sosej ddyla ffycin sosej fod, a ma nhw'n dal i werthu rhein a'r ddynas 'di marw a dechreuodd 'Mull of Kintyre' chwarae yn ei ben. Slamiodd y ddau ddrws yn gauad. Pan drodd rownd yno roedd Rhodri'n sbio arno yn nhywyllwch cynyddol y gegin.

'Sa uffar o ddim byd yma, washi,' meddai. 'Sa ti'n licio tec-awê? O Lle Ong's. Be ga ni dŵa? Nymbyr thyi-thi a si-i wan a fly lice.' A chofiodd mai Tipper oedd enw gwraig Al Gore. 'Rapsgaliwns uffar!' gwaeddodd wrth y drws ffrynt pan welodd lygoden fawr farw yn hongian o'i chynffon o'r letyr bocs.

Yng ngwaelod y bocs glas oedd yn dal llythyrau Lexy yr oedd nodyn bychan yn llawysgrifen Dwynwen na welodd Dulyn mohono.

Ond nid cadw y mae cariad. Gollwng ei afael mae o. Casineb sy'n cadw. Cadw yn y cof. Cadw'r sgôr. Cadw cyfrif. Casineb sy'n cofio. Anghofio mae cariad. Ildio. Gollwng. Rhoi. Creu lle. Y dwylo gwaglaw, siâp cwpan.

4

Da chi yna, Mr Pari?

Wrth fynd heibio'r fan ffish a tjips ar y cei, meddai Dulyn Pari wrth y perchennog, 'Y ferch ar y cei yn ffrio?'

'Be with you in a mo, sweet,' meddai hithau'n ôl wrtho.

Dros ymyl wal y cei gwelodd edau'r golau'n pwytho clytiau o ddŵr wrth ei gilydd. Aeth dipyn bach ymhellach cyn troi rownd i edrych ar y gadwyn o fynyddoedd oedd yn amgylchynu Blaenau Seiont. Y mynyddoedd oedd wedi cadw gelynion yr oesoedd draw. Fan hyn oedd cadernid Gwyrfai. A'r unig ffordd drwodd oedd y Bwlch yn fancw. Fel hicyn yn y gadwyn. Ei siâp codi dau fys. Gwarchod hwnnw ac mi roedda chi'n saff. Colli'r Bwlch a dyna hi. Ffinihadi! Fel ag yr oedd o'n sbio hedfanodd dwy awyren ryfel uwch ei ben gan anelu am y Bwlch. Toc ni fydden nhw nemor ddim mwy na dau goma ar ddalen wen yr awyr. *And the gap* bellach wrth gwrs yn *ideal for low flying* a dynwared bomio yn Irac hen chwareli, Basra'r brwyn, *bandits at twelve o'clock,* meddai o hen bictiwrs ei grebwyll. Am chwinciad canfu Dulyn ei hun yn ei sadio ei hun yn erbyn wal y cei. *Hey Jake look at them birdies them with them long necks them's called swans.* Clywodd. Gwelodd y tro yn yr afon. Fel gwên. Ond pa fath o wên oedd y wên ddyfrllyd, dywyll, werdd hon? *Tling-ling-ling,* meddai'r fan hufen iâ – radag yma o'r flwyddyn? – wrth ei ymyl. *Ma nhw 'di cyrradd!* yn union fel llais llawn afiaith ei Fam a throdd yn

61

sydyn i edrych pwy oedd yna, pwy oedd wedi cyrraedd, ond y cyfan a welodd o oedd Mr Softie yn diflannu rownd tro'r castall. *Hello Jane! I'm a great fan of Classic FM could you play 'O mio babbino caro' for my darling wife Agnes on our anniversary and thanking her for twelve years of sheer bliss.* O'r radio. O'r car wrth ei ymyl. Gwthiodd gledr ei law yn galed yn erbyn ei foch. Gwyddai fod rhywun wedi torri drwy'r Bwlch. Y bwlch ynddo fo'i hun.

Canodd ei ffôn.

'Ia!' meddai.

'Mr Pari! Gordon Plemming sy 'ma o Archaeology Wales. Oreit? Falch o ddeud bod ni 'di complitio y gwaith. Ma cwmni Pepco'n cîn iawn i greu *centre* a prisyrfio'r *mosaic*. Ma'r National Museum yn Cardiff a Pepco wedi dŵad i agriment, ac mi fydd y *mosaic* yn aros yn 'i *original* plês yn y *locality*. Mr Pari? Da chi yna, Mr Pari?' Diffoddodd Dulyn ei ffôn.

Cerddodd ar hyd y strydoedd gan roi'r argraff ei fod yn gwybod i ble roedd o yn mynd. *Panad o goffi?* meddai wrtho'i hun. *Arglwydd nagoes!* atebodd. *A finna gymaint isio piso.* Canfu ddrws siop wag. Pisodd hyd y papurau newyddion, y *flyers*, y *freebies*, i fyny'r drws yn un graith wlyb *ych! y mochyn!* meddai dynes oedd wedi sdopio i sbio arno, *methu dal, cariad, methu ffycin dal yn y twll lle 'ma.*

Cerddodd yn ei flaen hyd nes y daeth at Oriel Dwmplan. Darllenodd y geiriau ar y gwydr.

LLUNIAU'R 'STAFELL GEFN
arddangosfa
o
luniau newydd
gan
Elliw Vaughan

Ac aeth i mewn, *why not de?* fel mae nhw'n deud ffor hyn bellach.

Dechreuodd sbio.

CAM-DRIN I: potel enfawr o bwdwr babi Johnson's . . . dim ond y llythrennau 'son's' i'w gweld . . . wedi ei hollti ac o'r hollt, hollt fel pudenda, pwdwr coch yn arllwys.

CAM-DRIN II: cefndir gwynfudr – wal ystafell? – a chysgod butrach yn lledu'n siâp – ysgwydd? – a braich?

CAM-DRIN III: llun agos o got gwag. Y bariau pren melyn yn llenwi'r petryal anferth. Sbrings cris-groes yn sgleinio'n fetalig yn y godre a thair pelen gyfrif enfawr yn y canol. Dwy belen yn sownd wrth ei gilydd ac un ar wahân. *Be sy am y llun yma?* holodd Dulyn ei hun. *Wrth gwrs! Peli lliwgar sydd yna fel arfer. Ond y mae'r rhain yn dduon.*

CAM-DRIN IV: morthwyl sinc – y glob dryloyw'n llawn o liwiau bychain a oedd rhywsut yn medru creu sŵn yn y paent. Ond y sioc ar ôl hir syllu o sylweddoli mai llafn gloyw cyllell Bowie oedd carn y ratl ar y sachlïain di-breim.

'Sa gatalog?' holodd Dulyn y ferch ddistaw, fel petai hithau hefyd wedi ei pheintio, *ffwc! be'n union ydy bod yn fyw?*, oedd yn gwyro'i phen dros dudalennau *Hello!* a'i chwpan goffi'n sdemio. Sylwodd Dulyn ar lun o Catherine Zeta Jones.

'Sori!' meddai'r hogan fel petai hi newydd ddod i ymwybyddiaeth.

'Sori, nagoes? Ta sori, nes i mo'ch clwad chi?'

'Na! Sori does 'na ddim catalog! Rhy ddrud i'w gynhyrchu,' meddai llais o'r tu ôl iddo. Trodd yntau i edrych i gyfeiriad y llais.

'Elliw Vaughan,' meddai perchennog y llais.

'Sioe dda! Biti sa ddim catalog. Faint fasa hi'n gostio i gynhyrchu un?'

'Lot! A'i wraig. Da chi 'di torri record ychi. Deg eiliad ar hugain ydy cyfartaledd yr amser y mae'r dyn cyffredin yn ei dreulio o flaen llun. Da chi 'di neud o mewn llai.'

'Pidiwch â'u deud nhw! Dreulis i fwy na hynny! A be am y ddynas gyffredin? Faint ma hi'n ei dreulio o flaen llun?'

'Does 'na mo'r ffasiwn beth â dynas gyffredin siŵr!'

'Pam 'da chi'n peintio?'

'Atab heddiw ydy i liniaru ofn.'

'A ma 'na atebion erill?'

'Ma 'na atebion bob dwrnod.'

'Ofn?'

'Ofn sydd wedi bod hefo fi erioed. Tu mewn i mi. Ofn agor rhyw ddrws cefn a chamu i ddim byd.'

'Ofn marw?'

'Na! Waeth na hynny.'

'Be all fod yn waeth na hynny?'

'Difodiant! Y lle gwag lle o'n i un waith . . .'

'Fel llonyddwch mawr Parry-Williams.'

'O! naci. Mae llonyddwch mawr yn dal yn rhywbeth. Dim byd dwi'n 'i feddwl. Lle mae geiriau hyd yn oed yn troi'n ôl. A dwi'n amddiffyn fy hun hefo paent.'

'Ac ydy o'n gweithio?'

'Withia! Nid heddiw. Ac nid hefo pob llun. Ond amball dro mi fydd y brwsh yn dengid o'n llaw i rwsud a finna yn 'y myd yn trio dal gafal ynddo fo. Mynd ar 'i liwt ei hun ac yn canfod y llun sydd wedi bod yna erioed.'

'Dwi ddim yn dalld . . .'

'Na finna chwaith! Ond mae o'n digwydd. Ac mae hwnna'n llun go iawn.'

'Da chi'n peintio sînyris?'

'Er mwyn i bobol gael holi *Lle di fanna*? Nadw!'

'Ond petha felna sy'n gwerthu mwn.'

'Ma 'na fwy chi. Drwodd yn fanna.'

Yn yr ystafell gefn edrychodd Dulyn ar ffotograff bychan o eneth noeth, arglwydd! mae'r wyneb yn gyfarwydd, a ffrâm euraid wedi ei pheintio yn y dull *trompe l'oeil* o'i gwmpas.

'*Chwara Hefo Fi Fy Hun*,' meddai Elliw.

'Tewch â deud.'

'Ia! Ma'n deud yn fama. Sbiwch!'

A'r teitl hefyd wedi ei beintio ar blac efydd, y ddeubeth yn y dechneg *trompe l'oeil*.

'Mm!' meddai Dulyn.

'Mm!' meddai Elliw.

'O lle gutho chi'r teitl?' holodd Dulyn oherwydd gwyddai mai dyma'r cwestiwn yr oedd Elliw am iddo ei ofyn. *A rŵan am yr ateb* paratôdd ei hun.

'Y syniad ydy cyfosod cyfoesedd ffotograffi, yn y cyswllt yma merch noeth, â rhai o beintiadau yr Hen Feistri o'r nŵd. Be ydy'r gwahaniaeth rhwng merch noeth a nŵd? Ac i danlinellu'r peth dyna pam ddewisais i beintio ag olew y ffrâm *trompe l'oeil*. Rhyw fyrraeth ddaeth drosto i, chwarae hefo'r cyfosod yna rhwng merch noeth camera a nŵd brwsh paent. Ac felly dyna'r teitl: *Chwara Hefo Fi Fy Hun*.'

'O!'

'Gneud sens?'

'Mm! A rhein?'

Ar silff oedd wedi ei pheintio'n aur roedd rhesaid o fygiau gwynion, un anferth yn y canol, *pot piso bach ydy hwn dybad?*, ac arno lun wedi ei beintio o wyneb Saunders Lewis. Ar y mygiau eraill, llai, medrai weld wynebau Williams Parry, Parry-Williams, Waldo, Gwenallt, Alan Llwyd (*fo ydy o?*), Gwyn Thomas, Rhydwen. A'r teitl 'wedi ei wneud o brint hen lyfrau barddoniaeth,' esboniodd Elliw, *Tadau Awen*.

'R S Thomas?' holodd Dulyn.

'Bardd Susnag oedd hwnnw.'

'Ond run ddynas!'

Pwyntiodd Elliw i'r nenfwd lle'r oedd *watering can* mawr gwyrdd, ei big yn gwyro am i lawr i ddyfrhau'r Tadau, ac arno lun o Menna Elfyn. Symudodd Dulyn at lun arall.

'Licio fo?' meddai Elliw a Dulyn yn sbio ar lun o ddyn noeth, amlinell las ar gefndir gwyrdd a phidlan fawr goch yn codi'n ffyrnig am i fyny. Ac ar hyd y bidlan wedi ei lythrennu'n gymen mewn pinc yr enw *Y Forwyn Fair*, yr 'Y' wedi ei pheintio fel i greu'r rhigol rhwng y ceilliau (*bôls fel pâr o sbectols Joe 90 neu'r Milkybar Kid*, meddai Dulyn wrtho'i hun).

'Licio fo?' meddai Elliw eto. '*Y Forwyn Fair*. Ffantasi, chi'n gweld, ym meddyliau dynion ydy'r Forwyn Fair. Fuo 'na rioed y ffasiwn ddynas. Dynion â'u bryd nhw ar fyd arall dynnodd ei pherfedd rhywiol hi allan ohoni. Felly fel dynas mae gin i hawl i grëu yr un un math o ffantasi, *kitsch* fel y rhan fwya o luniau crefyddol, a'i alw *fo* yn *Y Forwyn Fair*. Cytuno?'

''Esu! Yndw! Faint da chi isio amdano fo?'

'Faint yda chi isio'i roid amdano fo?'

'Dudwch yn iawn! Dudwch 'ch pris! Faint ydy'ch hyder chi yn eich celfyddyd?'

'Mil!' meddai Elliw ran myrraeth.

'Mond hynny bach! Iawn! Gymrw'ch chi siec yn gnewch?'

Chwifiodd Dulyn y llyfr sieciau o'i blaen.

Ei gala, meddyliodd Elliw.

Dwi 'di prynu coc, meddyliodd Dulyn.

Ar ganol sgwennu'r siec oedodd, edrychodd ar Elliw, meddai:

'Wn i pwy yda chi rŵan! Dynas y lympia cachu!'

Cyfeirio roedd o yn anuniongyrchol at adolygiad o arddangosfa arobryn o'i gwaith yn y Llyfrgell Genedlaethol gan Cephas King yn y *Welsh Inlook*. Meddai King:

Ms Vaughan's latest assembly of pictures, amorphous-shaped objects painted directly on the unprimed canvas, what are they we ask? Are they soil-covered stones of the type a gravedigger might unearth and piles out of sight of the grieving mourners? Are they decomposing heads from that same graveyard? The debris of an archaeological dig? Or are they giant turds, the shit of Wales? Whatever your interpretation they are a disclosure of Wales from Ms Vaughan's fertile imagination. These are objects of disintegration as surely as the pictures themselves will one day unravel as the oil corrodes the unprimed surface. Look at these pictures! She cuts our crap!

Ond wrth gwrs cafodd *Sbiwch!* afael ar yr adolygiad a hoelio'n syth ar y *giant turds* hefo'r pennawd 'Gwobr am lympiau o g...u'!

'Ddowch chi â Rhodri draw? Plîs!' meddai Elliw wrtho wrth dderbyn y siec. 'Sori am Dwynwen a'r plantos! O'n i yn y cnebrwn.'

A'r siec fel heiffen rhyngddynt.

'Odda chi'n 'u nabod nhw?' meddai Dulyn. Ac arswyd yn ei lais.

'Odda ni'n ffrindia. Hi ddaru noddi 'ngwaith diweddara fi, *Medea*.'

'Noddi!' meddai Dulyn ynddo'i hun a dieithrwch y gair fel talp o iâ miniog yn gwthio i le tendar tu mewn iddo fo.

Ar y pafin y tu allan ac uffar o lun mawr yn ei ddwylo clywodd Dulyn lais George Bush yn dyfod o'r radio drwy ddrws agored y siop drin gwallt drws nesaf.

'We've gor him!' meddai'r Arlywydd.

Ysgrifennodd Huan Ellis:

'Geill "duw" hepian am hydion yng nghrebwyll pobl hyd nes i ryw bryder neu farwolaeth ei ddeffro i'w hymwybod. Ond a oes yna dystiolaeth ohono? A oes yna unrhyw un erioed wedi *gweld* gwyrth *yn* digwydd? Caead arch yn codi a'r un a fu farw yn camu ohoni i gyfarch y galarwyr hefo *Sumâi* harti? A oes unrhyw un wedi medru atal storm drwy weddi? Naddo siŵr! Unig ddiben y pethau hyn ydy rhoi blaenoriaeth i Fywyd ei hun ar draul difancoll. Mae'n rhaid i ni gredu bod Bywyd bob tro yn cael y llaw drechaf. Wrth gwrs fod pobl yn codi o farw'n fyw! – yn nychymyg pobl. Nid yn fy rheswm i y mae "duw" yn bod ond yn fy nerfau i. Ym mioleg gynnar fy awch i i barhau Bywyd doed a ddelo. Yn fy ymennydd ymlusgiadol cyntefig i y mae o, nid yn y neo-cortecs mwy diweddar. Tybed? Bywyd yn hyrddio,' parhaodd i ysgrifennu yn llawn asbri, 'yn ei flaen yn darw benben â tharw difodiant sy'n dod o'r cyfeiriad arall.'

Bron, wrth sgwennu, fod Huan yn teimlo rywle yn ei fol y grymoedd yma'n hollti penglogau ei gilydd yn y cyddaro. A bod y beiro plastig yn taro'r papur i gyd-fynd â rhythm carnau'r carnolion fyddai unrhyw funud yn clewtio ei gilydd. Ac fel adfeilion castell o'i gwmpas ar y bwrdd roedd geiriaduron – Geiriadur Cymraeg y Brifysgol, yr *Oxford Shorter*, Geiriadur Bruce, *Y Geiriadur Mawr (i werin Cymru y cyflwynir y gyfrol hon)*, un Spurrell (un Edward Annwyl, 1914), *Geiriadur Cymraeg a Saesneg Byr (yn bennaf ar sail Dictionarium Britannico-Latinum Dr John Davies o Fallwyd ac ar Y Gymraeg yn ei Disgleirdeb)* Syr O M Edwards – yno rhag i ryw brofiad gyrraedd Huan ac nad oedd ganddo'r gair i'w ddisgrifio ac felly ei feddiannu. Geiriaduron ar bennau ei gilydd fel adfeilion castell! Ie! Dyna oedd yn digwydd y tu mewn i Huan Ellis, sŵn pethau'n disgyn ac â brwsh bras geiriau mi fyddai o'n sgubo'r pethau teilchion i frawddegau a pharagraffau oedd yn ffugio trefn. Fel bod masg gramadeg yn honni nad oedd dim o'i le. Ffuantrwydd iaith! A daeth Lleucu i'r tŷ gan dynnu ei chap ac ysgwyd ei gwallt, ei gwallt afreolus fel gwyrddni trythyll yr haf. A'i lygaid yntau yn diferyd gwyrddni.

5

Tu ôl i chi, Dad!

'Llun cynnar hwnna!' meddai Elliw am y llun yr oedd Dulyn yn sbio arno. 'Rhy debyg i Gillian Ayres o beth cythral. Neu'n waeth fyth y Gillian Ayres *Cymraeg* fel yr oedda nhw'n fy ngalw fi un tro. Fel y mae ambell un yn deud am ddramodydd o Gymro, y Beckett *Cymraeg*. Gan feddwl bod hyn yn rhyw fath o ganmoliaeth. Ond sarhad ydy o. Fel petai'n rhaid i ni wrth fagal o enw enwog o wlad arall i'n gneud ni'n ddilys. *My crutch-name you know, the Welsh Gillian Ayres* fyddwn i'n ddeud wrth awr inlish ffrens.'

Edrychodd ar y llun.

'Rhy debyg i Gillian Ayers!' meddai eilchwyl. 'Er iddi hi roi'r ail wobr i mi dros ddeng mlynedd yn ôl.'

Edrychodd y ddau ar ei gilydd.

'Wel!' meddai Elliw yn y man. 'Ti fod i ddeud: *Argol do? Yr ail wobr!* Do cofia! Yr ail wobr! *Yn lle?* glywai di'n gofyn. Yn y John Moores. *Y John Moores!* glywai di'n deud. Ia cofia! Y John Moores. Teulu'r pŵls i bobol ffor hyn. Ond mi wyt ti'n gwbod am y Biennial yn Lerpwl. *Pa mor aml mae'r Biennial* ti'n 'i ofyn ia? Bob tair blynedd. Naci! Cellwair ydw i. A'r beirniad oedd: Basil Beattie, Callum Innes a'r rhen Gill. Wyt ti'n licio lluniau Gillian Ayres?'

'Well gin i 'i barddoniaeth hi. Pam?'

'Ha! Reit dda! Oedd 'na farc cwestiwn ar ôl y 'Pam' yna.'

'Nagoedd cofia. Ond tydwi rioed wedi gweld un o luniau Gillian Ayers,' meddai Dulyn yn dod â'r gêm i ben.

'Tudalen tridegchwech,' meddai Elliw yn taflyd catalog y *John Moores* i'w gyfeiriad. Trodd yntau i'r dudalen a gwelodd y llun oedd yn dwyn y teitl *Tan-y-grisiau – Elliw Vaughan, Prizewinner, Oil on canvas* a'r mesuriadau.

Rhedodd ei fysedd dros y lliwiau. Hyd yn oed yn yr atgynhyrchu medrech weld ponciau, pigau, cymoedd y paent olew. Roedd hwn yn llun i'w gyffwrdd. I'w fela. Yr igam-ogam hegar piws oedd yn croesi rhan uchaf y llun gan wthio i'r awyr lliw-gwaed-wedi-ceulo. Y fellten bendant oren ar y chwith. Y graith goch ar hytraws tua'r canol. Y sgriffiadau ffyrnig glas tywyll yn y godre. A'r cylchoedd gwyrdd a llwyd yn rowlio i'w gilydd draean o'r ffordd i fyny'r gynfas. Y croesau amrwd duon ymhlith yr hirsgwariau melyn budr oedd yn gorwedd ar ei gilydd. Mor drwm oedd y llun. Dilynodd ei lygaid y weiren bigog o baent gwyngoch oedd yn plethu drwy'r llun, yn cuddied weithiau y tu ôl i'r lliwiau eraill, yn dyfod i'r fei drachefn, yn gwarchod, yn amddiffyn, yn rhwygo yr elfennau eraill oedd ar wasgar hyd arwynebedd y darlun. A'r llythrennau 'EV' wedi eu torri yng nghanol porffor siâp ewin mawr – siâp carreg fedd? – oedd yn gwyro bron ar gwympo o'r gornel dde eithaf.

'Neis,' meddai Dulyn.

'Yndy o wir!' meddai Elliw.

'*Tan-y-grisiau*,' meddai Dulyn. 'Ond heb *Lily*!'

'O! Dangos ei hun ylwch!'

'Lle mae o rŵan?'

'Tan-y-grisiau? Ipyn bach is na Sdiniog ar y ffordd i lawr am Maentwrog.'

'Pam wyt ti mor ansicr o dy waith dy hun? Ti'n peintio pobl?' meddai yn dengid o'i gwestiwn blaenorol.

'Na! Dyn tatŵs sy'n peintio pobol. Olion; teimladau sy'n oedi yno i, darnau; petha dwi'n 'u cofio'n sydyn. Petha

71

felna. Mae'r brwsh fel triwal archaeolegydd yn dŵad â phetha i'r fei.'

'Oes 'na lot o betha'n dŵad i'r fei?'

'A sut hwyl wyt ti'n 'i ga'l yn fanna?' meddai Elliw wrth droi i holi Rhodri oedd wedi peintio gwraig las a dyn gwyrdd yn edrych ar ei gilydd a rhyngddynt golofn betryal ddu fel na fedrai'r naill weld y llall. Cododd Rhodri y llun i'w roi i Elliw.

'Aa! Gad o sychu'n gynta!' gwaeddodd. 'Ac wedyn mi rown ni o ar y wal. Da chi ddim wedi gweld wal Rhodri yn naddo, Dad?'

'Lle ma hi?'

'Tu ôl i chi, Dad!'

Cododd Dulyn i edrych ar oriel Rhodri ar wal Rhodri. Ac yno roedda nhw: y wraig las a'r dyn gwyrdd, weithiau'n syllu ar ei gilydd o ymylon y papur, weithiau'n mentro fwy i'r canol, dro arall gefn wrth gefn, weithiau'n hofran yn yr awyr ('fel Chagall chi'n gweld, Dad!'), weithiau'n gorwedd ochr yn ochr. Llun o wadnau eu traed yn unig yn codi'n gerrig beddau glas a gwyrdd o'r papur. Dim ond llun o'u pennau a gweddill eu cyrff wedi eu claddu yn y diddymdra ymhle yr oedd y papur yn gorffen. Yn tyfu ar oslef o'r dyn gwyrdd – yn bastwn? yn waywffon? yn bidlan? – roedd llinell dew biws. Ac ymhob llun y petryal du – yn wely? yn wal? yn faricêd? yn ddrws cloëdig? yn arch? yn focs? yn gwpwrdd? yn waelod drôr wedi ei wagio?

'Wyddwn i ddim!' meddai Dulyn.

'Mae o'n un da chi, Dad,' meddai Elliw yn sbio i gyfeiriad Rhodri oedd erbyn hyn wedi chwyddo petryal du i gynnwys y ddalen gyfan.

'Ad Reinhardt sbiwch, Dad!'

Gwenodd Dulyn wrth iddo suddo drwy gynddaredd ei anwybodaeth – *pwy ffwc ydy ap Rheinallt?*

'Fel Malevich,' ychwanegodd Elliw gan sbio i fyw llygaid Dulyn.

'Fel malu be?' meddai Dulyn a'i feddwl o'n bell yn rhywle.

'Pwy sy'n sôn am falu?' meddai Elliw. 'Panad bach cyn ichi fynd?'

Gwyddai Dulyn fod yr ymweliad cyntaf yn cael ei ddiweddu.

'Oreit ta!'

'Orinjiws?' holodd Elliw Rhodri oedd wedi peintio llun o droed anferth las yn camu i mewn i'r gwynder, y gwynder oedd fel petai o'n hongian o'r düwch petryal ar frig y papur. A doedd yna ddim golwg o'r dyn gwyrdd.

'Ia! Reit dda hwnna!' meddai Dulyn yn darllen cerdyn post ar y wal ac arno'r geiriau 'All men are animals. Some just make better pets.'

'Cytuno?' meddai Elliw.

* * *

Herciodd cath deircoes ei hun i'w cyfeiriad ar hyd y llwybr o'r giât at y drws ffrynt.

'Hia! Trindod,' meddai Elliw.

'Be oedd ei henw hi pan oedd hi'n gyfa?' meddai Dulyn.

'Mae hi'n gyfa! Cath deircoes ydy hi! Fydda hi'n edrach yn od hefo pedair. Yn byddat pwtan! Mi ddowch chi â fo eto'n dowch, Dad.'

'Dulyn!' meddai Dulyn.

'Ty'd ti eto hefo Dad,' meddai Elliw. Ac agorodd hithau'r giât.

'Oedda ti'n gwbod am y boi 'na'n Merica?' holodd Dulyn.

'Cofia di ddŵad, Rhodri,' meddai Elliw yn troi'n ôl o'r

giât am y tŷ gan edrych ar yr awyr. Yr awyr oedd mor denau â phapur Beibl.

* * *

Sbia! Llun ohonochdi! Yli! clywodd Dulyn ei hun yn gweiddi yn y gorffennol gan gyfeirio at y bathodyn oren ac arno siâp cadair olwyn. *Self-portrait!* Dyna beth oedd o, ia? Sdicyr ar ddrws. Lle parcio gwag ar gyfar pobol fel fo. Sêt mewn bws yr yda chi, chi bobol normal, i fod i'w hildio pan ddaw pobol fel fo, cripyls, sbastics, mongs, i mewn. Mae gan bawb gadair olwyn, gwyddai Rhodri. Nid un fetel hefo olwynion. Ond un wedi ei gwneud allan o deimladau a nerfau ac atgofion a storis wedi eu claddu mewn angof, yn cael ei gwthio'n araf bach o'r golwg ar y lonydd cêl o dan y croen. Mae yna gloffni ym mhawb. A dallineb. Pobol sydd ddim yn gweld ei gilydd. Pobol sy'n fyddar i'w gilydd. Pobol sy'n siarad ffwl sbîd ond yn deud dim. Mae pawb yn huawdl o fud.

* * *

Edrychodd Elliw ar y llun ar yr îsl. Oedd o wedi ei orffen? Be ydy gorffen? Mi roedd o wedi ei gwblhau. Oedd o? Wedi cyrraedd rhyw le nad oedd yn bosibl mynd ymhellach. Mae gorffen yn gyflwr arall, meddyliodd. Ac arogl y paent ffresh yn llenwi ei ffroenau a'r awydd angerddol 'na i rwbio'i bysedd ynddo, i *fela* fel y byddai ei Thad yn ei ddweud. Ei Thad yn gosod paen newydd o wydr, *eto fyth!*, ar ôl i bêl ffwtbol ei brawd falu'r llall yn shwrwd a hithau'n gwthio'i bys i'r pyti, ei feddalwch oeliog a'i ogla, ogla had llin, a'i Thad yn gweiddi *Hei! Paid â mela!* Am flynyddoedd os câi'r ffenast lonydd byddai pantiau ei bawd hwnt ac yma yn y pyti caled llawn craciau. Fel olion. A phaent yn plicio hyd-ddo. Edrychodd ar sgwâr y llun o'i blaen, y cefndir gwyn-hyll. Ond bod digon o'r gynfas ddi-breim yn dŵad i'r golwg. O'r ochr chwith yn piciad i mewn i'r llun o dan y paent ymylon blêds rasal, rhai henffasiwn Wilkinson Sword. Gyferbyn â'r blêds condom llipa wedi ei beintio ac un arall ac un arall ac un arall. Ar frig y llun yn y canol, fymryn o dan yr ymyl, llygaid, o leiaf ugain, bychain, brown tedi bêrs. O'r godre'n gwthio i'r cefndir amlen gyda'r stamp yn hollol weladwy hefo silwét y Cwîn, ond nid y Cwîn ydy o os sbiwch chi yn iawn ond map bychan o Gymru a phrif lythrennau ei henw ei hun 'EV' o boptu i 'wyneb' ei 'mawrhydi'. Ac ar yr amlen yr enw 'Neb'. I ganol y llun yr oedd hi wedi pwyso huar smwddio, hen un ei Nain, y math yr oedda chi'n ei roid o yn y tân, gan ysgrifennu tu mewn i'r siâp y teitl *Llun o Bedio!* Mi gaiff hwn fynd i *Dwmplan* yn lle *Y Forwyn Fair* penderfynodd. Tyda chi ddim yn gorffen llun, dirnadodd ag ochenaid. Mond ei ollwng o o'ch gafal i fryntni mympwyol pobl hefo'u dwy eiliad o sbio. A chofiodd yn sydyn am ei Thad yn rhedeg y pyti yn un llinyn hir gwlyb ar hyd y gwydr a'r pren o'r belen oedd o'n ei gwasgu yn ei ddwrn gyda symudiad chwim ei fawd yn erbyn ei fys. Cysactrwydd crefft. Yn olion ei chof.

'Neith tro!' meddai'n sbio ar y llun. A theimlodd ynddi yr affwys. Y teimlad o ddim byd sy'n chwalu drosti bob tro y mae hi'n cwblhau? yn gorffen? gwaith. Y dŵad i ben.

Llithrodd i gadair. Cododd hen rifyn o *Sbiwch!* Pam cadw hwn? holodd ei hun. Bodiodd drwyddo a chanfod pam. Darllenodd:

Yn y gyfres o luniau Yma o Hyd *defnyddiodd Ms Vaughan yn gymysg â'r paent ddŵr o Dryweryn, bridd o Gilmeri a siarcol o drawst tŷ haf a losgwyd. Cwynodd Andells Switherton AS fod Ms Vaughan wedi derbyn grant gan Gyngor Gwyrfai 'for*

Nationalistic kitsch and blatant propaganda'. Bydd y lluniau yn ~~cael eu gosod~~ *yn siambr y Cyngor.*

Ond yn ddiweddarach yn yr wythnos edliwiodd un o artistiaid amlycaf Cymru nad yw Ms Vaughan yn meddu ar 'any draughtsmanship skills whatsoever'.

Mewn ymateb i'r beirniadaethau hyn dywedodd Ms Vaughan:

'A! Wel! Deall bod gan Mr Switherton gasgliad o luniau Holman Hunt a dwi'n siŵr y pery'r artist 'mawr' i beintio'i luniau sentimental a boring o Gymru yn ei sdeil hollol ddigyfnewid ers degawdau, addas iawn i'w defnyddio fel cloriau i lyfrau rhai o'n hawduron aden dde gan gyhoeddwyr Seisnig.'

A thaflodd y cylchgrawn o'r neilltu.

'O'n!' meddai hi'n ateb ei gwestiwn. 'Mi o'n i'n gwbod am y boi 'na o Merica!'

* * *

'Y mae bod allan yn yr oerni fel hyn,' ysgrifennodd Huan Ellis yn ei ddyddlyfr, 'yr oerni emosiynol yma, weithiau yn annioddefol. Bod ar sdepan drws cred yn rhynnu ac yn methu rhannu'r peth â neb.

'A'r awydd weithiau i ruthro am i mewn a thwmo'n hun o flaen tân y pethau y mae'n amhosibl i mi eu credu bellach. Cydymdeithion oer ydy rheswm a rhesymeg. O! dduw nad wyt ti yna. Lleucu! Beth ydy'r peth mwyaf y medr unrhyw un ei wneud? Dyfalbarhau! Lleucu! Lleucu! Lleucu! Lle rwyt ti?'

6

Y gairgarreg

Gallasai Edgar Owen ddweud yn union beth oedd cynnwys ei waled. Fawr o gamp yn hynny, medde chi. Nagoes mwn. Cerdyn NatWest ar ben cerdyn Capital One ar ben cerdyn Pepco (points) ar ben cerdyn AA (*home start* a *relay*) ar ben cerdyn W H Smith (points). Ei waled Gucci ffug a brynodd o ar wyliau yng Nghyprus. Y leinin bellach wedi rhwygo. A'r un condom hwnnw yn dal yno. Y condom-rhag-ofn-jyst-in-case yr aeth o ag ef yn ei waled i'r Norbreck Hydro ym Mlacpwl dair blynedd ballu yn ôl adeg cynhadledd ar atal terfysgaeth. Y condom a'r geiniog lwc. *'Ma ti walat,* meddai ei Nain, *a dwi 'di rhoid ceiniog lwc ynihi i chdi.* A byth ers hynny roedd o wedi rhoi ceiniog lwc ym mhob waled yr oedd o wedi ei phrynu o'r newydd.

Agorwyd drws ei swyddfa.

'Ydy curo wedi mynd allan o ffasiwn?' holodd.

'Wha's tha? This for you. Back from forensic. You'll get the list you wanted in a sec.'

A rhoddodd y cwnstabl fag plastig iddo ac ynddo waled, darn o fil gwesty, goriad wedi torri'n ei hanner, un o'r darnau ar goll. Dyma'r unig eiddo a ddarganfuwyd gyda 'Brwynwen'. Drosto yn cripian daeth yr hen arswyd hwnnw a ddaw ato o dro i dro. Arswyd sydd yn edliw pethau rhyfedd iddo fel mai cael ei ysgrifennu i fodolaeth y mae o bob yn hyn a hyn ar ddalen wen dim byd a hwyrach mai dyna pam yr oedd Edgar Owen wedi ofni geiriau printiedig erioed. Neu dro arall bydd yr arswyd yn magu siâp remôt teledu ac yno – pwyso botwm! – mae o, Edgar Owen, yn cael ei wylied.

Deuai'r meddyliau hyn drosto bob tro yr oedd o'n agos at rywbeth marw. Fel y waled a'r tamaid bil a'r pwt o oriad yn y bag plastig. Y tro diwethaf y digwyddodd oedd yr adeg iddo agor drws garej Edward Thomas Twrna ac wrth i'r golau ymledu i fagddu'r garej yno roedd Edward Thomas yn rhythu arno'n llwyd tu ôl i winsgrin ei gar a niwl y carbon monocsaid yn chwyrlïo o'i gwmpas ac injan y car yn grwndilio. A'r tro cyntaf erioed pan sleifiodd i'r llofft ac yntau'n wyth oed gan godi'r dillad gwely'n dyner iawn a llithro'n ddistaw bach at ochr ei Fam i swatio yno oherwydd bod y bobl fawr lawr grisia yn deud clwydda 'i bod hi wedi marw. Agorodd y bag plastig a thywallt y waled a'r darn bil a'r hannar goriad allan ohono. Darllenodd yr enw ar y bil: 'Hotel Metropole, Manchester'. A dyddiad. Dyna'r cwbl.

Daeth cnoc ar y drws.

'Mewn!'

'Y rhestr, Syr. Rhestr o enwau y bobol oedd yn aros yn yr hotel 'na'n Manchester yr un wsnos â'r dêt ar y bil.'

Syllodd Edgar Owen ar y cwnstabl.

'Wbath yn rong, Syr?'

'Da chi'n gedru Cymraeg!'

'Da chi'n gwbod 'y mod i Syr . . .'

'Ond mae o wastad yn sioc yn lle 'ma. Tydy! Y Gymraeg 'lly!'

'O!'

Rhedodd Edgar Owen ei fys ar hyd yr enwau. Ac yno roedd o. Yr un dyddiad hefyd â'r un ar y bil. Yr enw 'Dulyn M R Pari'. A'r cyfeiriad. 'Bryn Cloch, Blaenau Seiont, Gwyrfai, North Wales'.

'Rhyw gyd-ddigwyddiad bach mae'n siŵr,' ebe Edgar Owen oedd yn sefyll un pen i'r lle tân yn y lolfa ym Mryn Cloch.

'O!' meddai Dulyn Pari o'r pen arall.

Sawl gwaith yr oedd Edgar Owen wedi clywed yr 'O!' yna? 'O!' yng ngŵydd awdurdod fel y fo. 'O!' llawn ofn, euogrwydd a chywilydd. Llyncodd Dulyn ei boer, sylwodd. Arwydd arall o ofn, euogrwydd a chywilydd. Llyncu pwiri. Ar y foment hon yr oedd Edgar Owen yn deyrn ar emosiynau yr un o'i flaen. Yn fwy na thebyg yr oedd cylla Dulyn yn troi. Ei goluddion yn teimlo'n llac. Mae pawb yn llawn cachu. Ei galon yn curo fymryn yn gyflymach. *Tybed?* meddyliodd Edgar Owen. *Tybed oes 'na rywbeth yn hyn?* A theimlodd ynddo'i hun yr un un teimlad â phan oedd yn blentyn ysgol yn gwybod yr ateb i'r sym yn mental rithmatic ond yn amau ei hun ac yn ofni codi ei law a rhywun arall yn achub y blaen arno ac yn cael y clod. Sawl *da iawn!* oedd wedi dianc o afael Edgar Owen gydol ei oes? Oherwydd ei hunanamheuaeth. Gafaelodd yn y silff ben tân i'w sadio ei hun. Gwelodd Dulyn hynny.

'Wel?' meddai Dulyn wedi amgyffred beth oedd yn digwydd tu mewn i'r ditectif.

'Wel?' meddai drachefn ond yn uwch gan ennill grym yn ôl.

'Rhestr o enwau!' meddai Edgar Owen, 'o bobol oedd yn digwydd aros yng Ngwesty'r Metropole ym Manceinion dair blynedd yn ôl.'

Mae hwn yn llyncu ei boer eto, nododd Edgar Owen. A theimlodd fel hogyn bach â'i law i fyny yn y dosbarth hefo'r ateb parod, cywir.

'O!' meddai Dulyn.

'Mm!' meddai Edgar Owen.

'Dwi 'di aros yno droeon,' meddai Dulyn.

'Dwi'n gwbod,' meddai Edgar Owen ond fod ei lais yn llawn diymadferthedd fel braich hogyn bach yn cael ei gostwng ar ôl i rywun arall roi'r ateb i'r athro.

'Ac mae'n siŵr mod i yno dair blynedd yn ôl,' ymgryfhaodd Dulyn.

'Mi oedda chi. Ma'ch enw chi ar y rhestr yma.'

'Ydy o wir,' meddai Dulyn yn swnio'n ddi-hid a'i lygaid wedi eu dal gan damaid o wydr yn sgleinio i'w gyfeiriad o'r lle tân.

'Da chi ddim yn chwilfrydig?'

'Chwilfrydig?'

'Curious,' meddai Edgar Owen yn cyfieithu.

'Dwi'n gwbod,' meddai Dulyn wrth y geiriadur o'i flaen. 'Ond does 'na ddim chwilfrydedd ar ôl ynddo i. Ar ôl y ddamwain alla i ddim bod yn chwilfrydig am ddim byd. Dwi'n wag.'

'Dwi'n dalld,' meddai Edgar Owen yn adnabod yr un gwacter. Dau ddyn yn sbio ar ei gilydd fel petai'r naill yn edrych i wacter y llall. Gan ryfeddu at y dyfnder.

'Cyd-ddigwyddiad dwi'n siŵr,' meddai Edgar Owen o'r diwedd. 'Ond mae'ch enw chi ar restr o bobol oedd yn aros yn yr Hotel Metropole ym Manceinion ar ddyddiad arbennig. Yr un un dyddiad ag oedd ar damaid o fil yr un un gwesty a ddaeth i'r fei gyda chorff hogan ifanc y caetho ni hyd iddi ar y rhosdir . . .'

' . . . yr un un dwrnod ag y lladdwyd 'y ngwraig i a 'mhlant i,' cwblhaodd Dulyn y frawddeg. 'Da chi am 'n restio fi?'

''Ch restio chi! Am be dwch? Am gyd-ddigwyddiad? Ond mi fydda hi'n eitha peth petai chi a fi'n cael sgwrs fach bellach. Yn go fuan. Dim rŵan. Ond pnawn fory. Rhoid amsar i chi feddwl. Jysd i glirio'r aer. Ddowch chi draw i'r orsaf?'

'RSVP?'

Chwarddodd Edgar Owen bwt o chwerthiniad.

'Erbyn dau,' meddai.

'Hanner awr wedi,' meddai Dulyn.

'Hanner awr wedi,' meddai Edgar Owen yn cyfaddawdu unwaith eto. 'Mi rydd hynny amser i chi feddwl,' ychwanegodd i achub y blaen yn ôl.

'Cyfuniad peryglus, Ditectif Insbector Owen! Amser a meddwl.'

'Deadly!' meddai Edgar Owen bron yn ddiarwybod iddo'i hun. A'r gair 'deadly' fel petai o'n garreg ddu yr oedd o wedi ei thaflu i'w wacter ei hun. Clustfeiniodd y ddau ar ei gilydd fel petai nhw'n disgwyl clywed sŵn y gairgarreg yn taro'r gwaelod. Ond ni chlywyd dim.

'Fory ta!' meddai Edgar Owen. 'Tendiwch!' meddai drachefn, 'ma 'na ddarn o wydr ar y teils yn fanna. Mi welai o'n sgleinio. Rhag ofn i rywun frifo.'

'Dwi'n gwbod,' meddai Dulyn heb orfod edrych i lawr i sbio.

7

Rhoid bloda i hwran

'Peth peryglus ydy rhoid bloda i hwran,' cyffesodd Dulyn Pari wrth y Ditectif Insbector Edgar Owen yn Swyddfa'r DI ar ôl iddo ymateb i'r RSVP am hanner awr wedi dau ar y dot. 'Mi ryda chi'n symud y fargen galed wedyn, caled fel pres, caled fel coc, maddeuwch i mi, i le o dynerwch, i feddalwch. Wrth roi blodau mae coc a chotjan yn troi'n bobl. Maddeuwch i mi eto. Yn edliw unigrwydd, teimladau, angen, y pethau meddal tu ôl i galedwch blys a chwant.'

'Dyna beth gwirion i neud, rhoid bloda i hwran,' meddai Edgar Owen yn ddiarwybod iddo'i hun.

A! meddai Dulyn yn fewnol, *ma hwn yn dalld.*

Dau ddyn yn wynebu ei gilydd gan gyffwrdd meddalwch y naill a'r llall.

'Dyna be fyddwn i'n 'i neud yn y Metropole ym Manceinion. Cwarfod y merchaid. Mi ddudodd rhiwin unwaith, Edgar. Ydy o'n iawn i mi'ch galw chi yn Edgar? *You don't pay a prostitute for sex, that's for free, you pay her to go away afterwards.* Wrth roid bloda iddi hi mi rosodd, Edgar. Nid hwran oedd yna wedyn ond hogan tua'r deunaw ond heb Susnag mond *you like you wanna you ffyciffyci me.* Nes i ddim lladd neb Edgar, mond lladd 'n hun yn crio ar erchwyn y gwely *you no like me* medda hi, a fi adawodd.'

Un pnawn mi ffoniodd Dwynwen y Metropole. Er mwyn cael gwybod. *Can I speak to my husband please, Mr Dulyn*

Pari? A'r ateb yn y man *of course, madam, sorry for the delay reception is very busy I do apologise* yn dweud wrthi fod yna Mrs Pari arall yn yr ystafell wely *no don't bother forget I ever called.* Ed Baines, *I know it sounds like a comic book private eye name,* ddywedodd wrthi mai putain o'r enw Saskya *real name Edna Hope* oedd regiwlar Dulyn *but there are others, foreigners mainly, Poles and Ukrainians. Shocked?* meddai Ed. *I would have loved to have been shocked but shock takes imagination,* meddai Dwynwen. *I married a mediocrity.*

Edrychodd Dulyn ar Edgar ond yr oedd Edgar yn wynebu WPC Ellen Huws – flynyddoedd yn ôl y ddau, yr unig Gymry Cymraeg yn y gynhadledd ar derfysgaeth yn y Norbreck Hydro ym Mlacpwl, wedi eu dal yng nghwmpeini Cymraeg ei gilydd ar hyd yr wythnos, heno y noson olaf ar y coridor distaw, ei ystafell o yn wynebu ei hystafell hi, yno rhwng y ddeule *mi noswylia i ta* medda hi yn oedi ac yn sbio i fyw ei lygaid o, mond hanner gair sydd isio, ei gwefusau gwlyddar ychydig ar agor a'r hanner gair ganddo ar flaen ei dafod ond *nos dawch WPC Huws* meddai, cofiodd y pnawn yma hefo Dulyn Pari o angerdd mynwent ei isymwybod.

'Formality oedd hyn, Dulyn. Dwi'n cymryd fod o'n iawn i minna'ch galw chitha'n Dulyn? Rhaid gneud y petha 'ma. Ond o'n i'n gwbod o'r cychwyn, cyd-ddigwyddiad, fel dudas i neithiwr. Chi a hi yn yr un lle efallai ar yr un dwrnod. Da chi'n rhydd i fynd.'

'Wyddwn i ddim mod i'n gaeth, Edgar.'

'Ffordd o siarad, Dulyn bach!'

'A'r hogan? Unrhyw syniad?'

'Rhowch o fel hyn. Tasa chi'n dal i fynychu'r Metropole mi allasa'ch llwybrau chi fod wedi croesi yn nhir neb un o'r ystafelloedd. Ffoadur da ni'n meddwl. Wedi dod yma i brofi'r llaeth a mêl droth yn wermod. Fwy na thebyg iddi wrthod gneud be oedd ei meistri hi eisiau iddi neud. Dengid falla. Nhwtha yn ei dal hi. Ac i ddysgu gwers i'r genod erill ei lladd hi a'i dympio hi yn nhir Cymru.'

'Fel gwenwyn Chernobyl.'

'End of sdori, Dulyn. 'Esu! Mi oedd yn ddrwg gin i am 'ch gwraig chi a'ch plant.'

'Diolch.'

'Sori eto mod i 'di gorod llusgo hyn i gyd i fyny.'

'Yda chi'n briod, Edgar?'

Agorwyd y drws yn sydyn.

'Is that Parry bloke . . .,' ond ymataliodd y ditectif ieuanc oedd yn hongian ar ddolyn y drws.

'This is Mr Pari! Knock will you! Learn some old-fashioned manners!'

'Thought this was a community of officers not a bleedin oligarchy.'

A sylwodd Dulyn ar fodrwy briodas Edgar Owen.

8

Egwyl

Ar y bws oeddwn i yn sdyc yn Garndolbenmaen a'r bws yn wag a Neb yn y bysdop. Ond am fod raid i'r bws aros rhag ofn i Neb ddod dyma fi'n sbio drwy *SbïwchBach!*, y ffrîbi misol yn *Sbïwch!* Wedi'r cyfan, be arall sy 'na i Neb ei wneud yn Garn? A dyma fi'n darllan holiadur 'Bysnes'.

Enw: Elliw Vaughan

Cyfeiriad: Dau gam ymlaen a mond un yn ôl – heddiw! Diolch i'r drefn. Pa drefn?

Oed: $6 + 5 + 4½ + 9 + 3 + 15 + 20 - 15 =$

Eich statws priodasol: Sbio. Cyffwrdd. Mela. Ond fawr o awydd prynu.

Plant: Y gair Saesneg am blannu neu blanhigyn.

Beth debygwch chi sy'n gwastraffu eich amser fwyaf? Sychu nhin.

Gwaith: *Artyst*, pan dwi ar 'y ngora. *Artit*, pan dwi'n colli'n hyder (yn aml!).

Prun yw eich hoff liw? Beth ydy lliw dyfaru?

Pryd fuo chi hapusaf? Chwefror 30 y llynedd.

Sut hoffech chi farw? Faswn i ddim! Ond diolch am y cynnig. Ond gin bo chi'n gofyn mor glên, cael fy llabyddio hefo awyr iach.

Pwy yw eich hoff artist? Shiani Rhys James a Rhodri Pari.

A chychwynnodd y bws am dref Cricieth neu Cric-Mala neu i roddi iddi ei henw Saesneg The English Zimmer a Neb ond fi arni.

9

. . . the marvellous Mr Ellis . . .

Soniodd rhywun un tro mai *cyn-offeiriad* oedd Huan Ellis
ond iddo fo *neud rwbath. Hogia bach,* meddai rhywun.
Clywyd y gair 'diod' a'r ymadrodd 'gwraig rhywin arall'.
O lle mae o'n dŵad dwch?
O rwla'n Lloigar.
O'r Lêc Disdricd, meddai llais.
Crybwyllodd rhywun *Hemel Hempstead.*
Duw! Odd gin Nain frawd yn byw yn fanno.
Ar be mae o'n byw dybad?
Ond yr ora amdano fo oedd mai fo oedd *y dyn hearing*
aids. Dawn i'n marw! Mi daerodd rhywun iddo (iddi?) weld
hys-bys mewn papur newydd am glywedyddion, y rhai
maint dima ac enw a llun *toedd o'n wên i gyd!* Huan Ellis
oedd yn barod iawn i ddŵad i'ch tŷ chi i drio gwerthu'r
teclynnau, neu'r tacla! os nad oedda nhw'n gweithio a
chitha wedi talu crocbris amdanyn nhw. Ac felly mi glywa
chi rei'n deud wrth holi am Huan Ellis *O! Y dyn hearing aids*
da chi'n 'i feddwl. Er cofiwch fod 'na sibrydion, hen sdoris
hyll, ei fod o'n sbecian drwy ffenestri-wedi-sdemio ceir
oedd wedi eu parcio liw nos ac yn hwyrach yn y twyni
tywod yn y Foryd, rhyw Dad Sbei Morus Marc Tŵ felly. Ac
mi roedd yna o leiaf un wedi ei weld o medda hi (fo?) yn
noethlymun yn ysgrifennu ar y tywod yng ngolau'r lloer.
Ond . . . *the marvellous Mr Ellis!* . . . ys dywedodd Dwynwen
Pari drwy geg Lexy!

Fodd bynnag, os yda chi isio gwbod rwbath yn Blaenau Seiont yna holwch Sabina Ong yn Siop Lias.

'Mi 'rai yno cyn yr alcis,' meddai Dulyn neithiwr, a dyma lle mae o ben bora o flaen Siop Lias. Siop Lias ydy hi'n dal i fod i bawb er mai Val-U ydy ei henw hi bellach. Diflannodd yr enw 'ELIAZAR HUGHES GREENGROCER' ond erys amlinell y llythrennau sydd i'w gweld o hyd uwchben y drws fel ysbryd y geiriau.

Dulyn oedd yr ail yn y ciw.

'Medusinal pyrpysus!' meddai Sab Ong a chodi ei llygaid i'r nefoedd – wel! i'r nenfwd, beth bynnag – ar ôl i'r dyn o'i flaen bocedu'n slic yr hannar potal fodca am saith y bora.

'Ti'n torri'r gyfraith, Sab!' meddai Dulyn.

'Dul! O! my god! Torri'r gyfraith! Riport me then, gwael. Who cares Dul bach? Who cares? And just as I was thinking that this was going to be a bad hair-do day dyma chdi mewn. Dul! Lovely i gweld chdi. Sud ti'n gneud boi?'

'A! Sdi!'

'Know the feeling. Jesus! Do I know the feeling. Blwyddyn jysd es Jimmy ŷli. Time heals medda nhw. Time makes it worse! Ti'n ca'l hyd i rwbath dwt? You find something don' you? A letter. A handcyrchief and it starts all over again. Witjia i mi serfio hon. Usual? O try and cut down, love.' Ac estynnodd y botel sheri i'r wraig, gwraig yn ei chwedegau? meddyliodd Dulyn. Gwthiodd y wraig y botel i wacter ei bag ac allan â hi.

'Sad. Dwi fatha sosial syrfisus yn fan hyn. Telling you. Ia sdi! Never get post me you know. Yesterday! Wha' happened? Un llythyr. One letter. Addressed to Mr Jimmy Ong. *Dear Mr Ong. You have been selected for one of the following prizes.* Cried my fucking eyes out. Sori! Ti'n ddyn risbectabl rŵan.'

'Sab! Ti'n nabod i'n well na hynny. Fucking hard girl,'

meddai o wedyn i ganslo beth bynnag wahaniaethau allasai fod wedi tyfu rhyngddynt gyda'r blynyddoedd.

'I sent you a card. Did you get it?'

'Do,' meddai Dulyn ddim yn cofio. 'I sent you one too,' meddai drachefn yn dweud celwydd.

'I know. Geshio. Anyway, Dul bach, what can I do you for? Paid â deud bo chdi taken to the pop.'

'Taswn i'n deud yr enw Huan Ellis wrtha ti . . .'

'I'd say . . . strange.'

'Ia hefyd!'

'Don't get me wrong now. Digon clên as they say. Ond mae o'n od in an od way. Polite cofia! Ddath o yma, o god knows, eighty-six fydda hi dŵa or earlier . . . Pam? Why?'

Nid oedd Dulyn wedi meddwl y byddai hi'n gofyn y cwestiwn yma ac felly nid oedd o wedi paratoi ateb. Ond yr oedd Sab wedi dirnad hynny.

'None of my business, ia, Dul? O! call for a panad, Dul. Duw, come tonight. Let's go for it!'

'Gwnaf,' meddai Dulyn Pari yn union fel y dudodd o ar ddydd ei briodas. 'I will,' meddai o'n cyfieithu.

'We go back a long way chdi a fi,' meddai Sab.

'Faint mor bell tisio fi fynd, Sab?' holodd Dulyn Pari hi yng nghefn A35 ei Dad yn sêt gefn ei gof.

'All the way,' medda hi. 'I don't care.'

'Oes raid i chi ddechra mor gynnar? Do you have to?' meddai Sab wrth gwsmer arall a Dulyn bellach yn ei gar.

'Ma gin Sabina Robas uffar o bâr,' meddai Dulyn Morgan Rhys Pari Sdandard IV wrth Gari Wyn a long long way ago a sdartiodd ei gar.

10

Mrs Mikado

Edrychodd Sab Ong arni ei hun yn y drych. Ar dirlun ei chnawd noeth. Ac fel y mae sŵn gwynt yn yr hesg mewn cwm diarffordd yn deffro hiraeth tu mewn i mi teimlodd hithau'r un hiraeth, yn ei chluniau, o dan ei cheseiliau, ar ei gwar, rhwng ei choesau. Nid ei bod hi isio rhyw fel rhywun ugain mlwydd oed yr oedd blys yn dân ar ei chroen neu fel rhywun fengach hyd yn oed ar ei hyd ar sêt ôl Austin A35 ei fferau wedi eu clymu – damia! – gan ei nicyrs yn dyfalu sut beth *ydy'r peth 'ma ma pawb yn ei alw'n sex*. Eisiau cysur rhyw oedd hi bellach. Nid y weithred bum munud ei hun ond yr hyn oedd yn lledu drosti wedyn, y diymadferthedd braf hwnnw a'i chnawd fel petai o'n pwyso dim byd, ei meddwl wedi ei ferwino'n llwyr a'r llithro araf 'na i gysgu ym mreichiau rhywun arall. Edrychodd ar ei chnawd rhychiog, tolciog, pantiog, y dyffrynnoedd bychain yn ei chroen, y cymoedd, y gwely afon sych ym mhlyg ei bol, nentydd y gwythiennau oedd yn dŵad fwyfwy i'r golwg o gwmpas ei fferau. Gwasgodd ei llygaid llaith ynghyd. Fel rhoi troed mewn tir corsiog. Edrychodd drwy'r ffenestr ar y niwl ar gopa Mynydd Mawr yn cronni'n gylch blêr fel pais ar ysgwyddau dynes y foment cyn iddi lithro'n llawn letrig ar hyd ei chorff i gyd.

'Make yourself pretty for your guest,' meddai a dechreuodd godi ei dillad oedd wedi eu gwasgaru hwnt ac yma hyd y llofft.

* * *

'Cofio'r amser we were courting,' meddai Sab yn cario dwy gwpanaid o de i mewn i'r parlwr nad oedd neb wedi bod ynddo ers y cynhebrwng, y letrig ffaiyr un bar yn trio'i orau i daflu gwres allan, *The Hay Wain* yn brysur golli ei liw ar y wal. Ar ben y radiogram ornament Little Bo Peep wrth ymyl Jac an' Jill oedd wrth ymyl Little Jack Horner. Clawr record Perry Como *Christmas Hits* yn piciad o'r cwpwrdd agored, 'Disgusting odda nhw'n 'i ddeud going out with a Chinaman. He could speak Welsh like a native bendith dduw. Cymro oedd o. Jimmy, my Jimmy. Born here. Went to school here. He was a foreigner in Hong Kong for Christ's sake. Not here! Basdads. Dal i gofio rhei ohonynhw sdi,' a hithau'n rhoid y te i Dulyn. 'And their crude so-called jokes *if you have a kid will he be a Chinky off the old bloke. Chei di ddim priodi'n capal,* Mam said. As if we were regulars there. *Mi fyddi di'n gorod ordro dy fwyd by numbers.* Dick my brother said that. Ti'n nabod Dick dwyt. Of course you do. Bloody waster. Dyna be ddudodd hwnnw who couldn't boil an egg himself. Sometimes Dul bach dwi'n casáu y lle 'ma. Really hate it. But you can't live from that see. Fedri di ddim. Neu chdi fydd y casualty. But it's hard. Ti'n dal i gofio sdi. Pobol yn galw chdi'n Mrs Mikado. Didn't even know the bloody difference. Hate Wales waeth mi ddeud o ddim. And now you've got this Cymuned lot. Labour's still for the working man. Waeth ti befo Blair sdi. That's what I tell people. A phan fu fo farw pawb yn wên deg. Ond ddudash i wth Mam os na ddutho chi i'r brodas you're not coming to the funeral. Told her you know. *Let bygones,* she said. Digon ar y sbitj, ia, Dul?'

'Ddaeth hi, dy Fam?'

'Large as life, Dul bach. You can't fight anyone in grief can you?'

'Sammy!' meddai Dulyn yn pwyntio at y llun ar y silff ben tân.

'O! you remember his name. That's nice. God ma hi'n dda dy welti. Ti 'di newid dim, Dul. Always considerate you were. Here!' a rhoddodd y llun iddo edrych arno. Hen lun. Hwn hefyd yn dechrau melynu. Llun camera Polaroid. Sammy Ong. Yn ei ddillad ysgol. Yr hogyn tal oedd yn ymwybodol o'i daldra ac yn trio ei guddio drwy wargrymu.

'Standing awkward te, Dul? Shy sdi. Hell of a time at school. Sammy slit-eyes they called him. Or Mr Sweet 'n Sour. *Waeth ti befo,* Jimmy used to say to him. He was head boy when that picture was taken. Went to Oxford you know.' Y gwallt du bitj angen ei dorri yn ei lygaid o. Y llygaid trist llawn poen bron.

'Llygid 'i Dad, his Father's . . .'

'Debyg i Jimmy.'

'His height. Bob dim amdano fo sdi.'

'Lle mae o rŵan, Sab?'

'Cardiff. Working in a call centre. Trying to get BT customers to change to his company. *Yn India byddi di* I said to him. *Fanno ma'r call centres i gyd sdi.* Bloody nuisance they are too. *Hello! Is that you Mrs Ong'* – ac mae hi'n dynwared llais gwraig o India – 'You'd be more likely to buy something from a white voice, wouldn't you? Ti ddim yn meddwl? Comes on the phone now and again you know. *Ti'n iawn, Mam?* he says. O! what a surprise dwina'n ddeud. When you coming home? dwi'n ddeud. Troi sdori sdi. *Gorod mynd, Mam. To a meeting.* O! didn't think you were a meeting man. *Friends, Mam.* Are they good friends? *Mam!* he says. Sgin ti cariad, I ask. *Mam!* he says again. See you love. *Ta-ra, Mam. Love you. Caru chdi.* Weeks go by and nothing. Then out of the blue *Su mai, Mam?* What a surprise fyddai'n ddeud. Couldn't take Jimmy's death you know. Ddath o ddim i cnebrwng. *Can't Mam. Can't.* Tisio Loveheart?' meddai yn tynnu'r paced o boced ei chardigan. 'Can't forgive them you know. Methu madda nhw. Want one?'

Cymerodd Dulyn un o'r da-da melyn a'r galon goch a'r sgwennu tu mewn iddi.

'Be ma ddeud?' holodd Sab.

'*True love*,' atebodd Dulyn.

'*Text me* ma'n un i yn 'i ddeud.'

'Ma hynna'n uffernol! Mi ddylsa fod Lovehearts yn aros yn yr oes o'r blaen pan oedda ni'n blant. Aros yno hefo *dolly mixtures* a *wine gums* a *midget gems*. *Text me* wir!'

'*True love*,' meddai Sab yn tynnu'r nesa o'r pacad, 'just like yours.'

A theimlodd Dulyn y da-da yn bigau mân hyd ei dafod. Ac yn sur. Tynnodd wyneb.

'Look at you,' meddai Sab. *You were the first, chdi,* mae ei llygaid hi'n ei ddweud, *and you always remember the first. Ti bob amsar yn. Ti'n sbesial.* A'i llaw ar law Dulyn. Ond ymddihatrodd oddi wrthi. *Oherwydd dioddefwraig wyt ti Sabina Ong,* meddai ynddo'i hun. *Fictim! Ac fel pawb o'r fath ti'n troi llygaid llo ar y byd, yn crefu mwytha, yn hudo pobol fel fi i fagl tosturi. Ffordd o ymgodymu â phethau wrth gwrs. Cwffio mae rhai. Pannu'r anghyfiawnderau sy'n bygwth eu llorio. Rhoi waldan cyn i chdi dy hun gael peltan. Sdido'r byd. Tra mai syrthio'n swp mae'r gweddill i ryw gornel ynddyn nhw eu hunain gan goncro eraill drwy rym diymadferthedd honedig, cyfrwys. Ystryw ystumio gwendid sy'n gwisgo masg nerth.* Un o'r rheiny oedd Sab Ong, penderfynodd Dulyn. Dulyn y waldiwr.

'Dwi'n mynd!' medda fo'n codi o dân ei benderfyniad.

'Sy raid i ti?' hudodd hi o'n ôl.

'Ma gin i betha i'w gwneud. Things to do!'

'Like?'

'Things!'

'Off course you have. Busy man. Wastio amsar fel hyn hefo rwbath fel fi.'

Lyncodd o mo abwyd y 'rwbath'. *Does 'na ddim lle ynoi i ffwcin molicodlo clwyfa neb arall reit y gont wirion,* medda fo'n fudan ynddo'i hun. Gwenodd arni. Ond roedd hi wedi clywed.

'Be oedda ti isio yma dŵa?' meddai hi'n short bellach. 'O! yes! That Ellis man's address. 4, O'Rourke's View. Is that what you came for?'

'Yes. Ia. Thanks for the tea and the chat,' meddai Dulyn.

Pwysodd Sab Ong ei holl gorff yn erbyn y drws yr oedd hi newydd ei gau ar Dulyn Pari.

Na i rwbath i ti, Dulyn Pari, gwaeddodd tu mewn iddi hi ei hun ond yn ddiarwybod iddi hi ei hun. Roedd ei llais, ei geiriau wedi eu trawsffurfio i'r tyndra, i'r tensiwn yn ei hysgwyddau a fyddai toc yn codi cur yn ei phen y byddai *two Panadols* yn ei ddistewi am ychydig. *I'm so lonely,* meddai'r cric swnllyd yn ei gwar. *So fucking lonely* yn troi'n boen yn ei chefn, yn ei chlun, yn seiatica I think.

Ar y wal ar y tro wrth Bont y Seintiau yng ngolau'r car gwelodd Dulyn y geiriau 'DIM COLONEIDDIO'. Y geiriau melyn. *Draw draw yn Tsieina a thiroedd Japan plant bach melynion sy'n byw* dechreuodd hymian. Geiriau oedd bellach yn warws ei isymwybod ac yntau'n gyrru fel rhwbath ddim yn gall am adra. Yno hefo *Wog* a *Yid* a *Cont* a *Bwrdd Du* a *channu'r Ethiop du yn wyn* a *Jim Cro Crystyn* hefo'r goliwogs ar y jariau marmalêd ar silffoedd ei blentyndod yn Siop Paci ei grebwyll oedd yn gwerthu bob uffar o bob dim am ddiawl o marcyp, rwbath odda chi isio duw a bob amsar ar agor hyd yn oed ar ddwrnod Dolig dwrnod ein Gwaredwr a'n Ceidwad Gwyn Persil White Ein Harglwydd Iesu Grist yr hen Jiw uffar iddo.

Clywodd glec a'r car yn sgrytian. Gwthiodd yn galed ar y brêcs a sgrechiodd y car i sdop. Rhuthrodd am allan. Ar y lôn gwelodd sglein rhywbeth bychan, crwn, maint botwm, rhywbeth oedd yn adlewyrchu golau ôl y car. Cerddodd tuag ato. Wrth ddynesu sylweddolodd mai llygad ydoedd. Llygad ysgyfarnog. Cododd ei chorff trwm, cynnes, llipa, marw. Teimlodd ei glafoer neu ei gwaed – ni wyddai prun yn y düwch – ar ei law wrth iddo ei chario'n bwyllog, dyner bron i'r car. Gwyddai ei fod eisiau cario rhywun, rhywbeth, eisiau gofalu, eisiau cydio. A'i ben-glin yn yr awyr dododd ei choesau ôl i orffwys ar ei forddwyd tra'r agorai ddrws ôl y car â'i law rydd. Gosododd ei chorff ar y sedd ôl. Wrth yrru am adref clywodd arogleuon anifeilaidd, priddlyd, dieithr yn llenwi ei ffroenau. Drachtiodd. A llifodd arogleuon eraill i'w gof, fe'u deffrowyd, o flynyddoedd maith yn ôl – ogla mwsogl tamp ac ogla'r garreg, ogla coedyn wrth i'w Dad hollti'r bonyn â bwyell, ei Dad eto yn ysgwyd gwlydd yn uchel uwch ei ben a'r pridd yn disgyn hyd lawr yn dalpiau i ddatgelu'r tatws newydd bron glaerwyn, crynion, *jiwyls y pridd weldi* a'u rhyfeddod a'u hogla nhw.

Cyrhaeddodd Fryn Cloch bron yn ddiarwybod iddo'i hun. Wrth iddo agor drws ôl y car llamodd yr ysgyfarnog dros ei fraich i'r düwch.

'Y bitsh strywgar!' gwaeddodd ar ei hôl.

A chydiodd mewn llond llaw o raean a'u taflu i'r düwch. Clywodd hwy'n disgyn fesul un ac un yn feddal fel deud y gair 'tywod' ar y lawnt. *Lle ti 'di bod* sgrechiodd ei Fam ym mhellafion ei gof yn nrws ffrynt Bryn Cloch, *yn Timbactŵ?*

Canodd y ffôn fel yr oedd o'n cyrraedd y lolfa. Atebodd. Ac fel petai o'n gwybod, ddywedodd o ddim. Dim ebwch.

'Lexy! Is that you?' meddai'r llais Americanaidd y pen arall.

'She's dead! She's dead!' meddai Dulyn a rhoi'r ffôn i lawr.

'Sy ddim raid i chi ffonio am dacsi, Mr Pari,' meddai llais o'i ôl, llais Maud Morus gwraig Sbei oedd wedi bod yn gwarchod Rhodri, 'dwi am gerddad ma hi'n noson mor braf. Welsoch chi'r lleuad llawn? 'Rhen hogyn bach yn cysgu'n sownd. Gobeithio na ddaru'r hen ffôn na mo'i ddeffro fo.'

Aeth Dulyn i'r lolfa. Trodd y teledu a'r DVD ymlaen. Dechreuodd y ffilm. A gwelodd.

11

Yda chi'n briod, Edgar?

Ogla tec-awê oedd yr ogla yng nghar Edgar Owen. Jalffresi, rogan josh, bara naan, popadoms, nymbyr 23, nymbyr 26, nymbyr 27 *a dau o nymbyr 4 plîs*. Ond nid dyn tec-awê oedd Edgar Owen yn ei hanfod. Llithro'n araf i hynny ddaru o. Dyn sebon col tar oedd o ac ych-a-fi-hen-sebon-sent. Dyn dyn. Ond fel dyn tŷ cownsil ei blentyndod lle roedd yna lein bendant, wrth gwrs, rhwng dyn a dynas ond yn bwysicach rhwng dyn a dyn. Rhwng dyn peint a dyn glasiad o win. Rhwng dyn rasal a gên lân a dyn oedd yn gadael i flewiach dduo'i ên o oherwydd ffasiwn a sdeil. Rhwng dyn yr oedd gefail ei law lydan o'n dynerwch i ddotio ato am gorff bydji neu ganeri a dyn yr oedd ei winedd cymen o yn clecian ffigurau i'r fei ar sgrin las cyfrifiadur. Rhwng dyn a fyddai'n camu unrhyw ddiwrnod oddi ar y pafin i'r lôn i ddynas gael pasio a dyn cydraddoldeb y rhywiau. Rhwng dyn, fel y dudais i, sebon col tar a dyn drewdod Hugo Boss. Ond yn yr wythdegau-pawb-yn-sathru-cyrn-ei-gilydd-i-sgrialu-i-ben-y-doman-arian gwerthwyd y tai cyngor, yn lle rhent daeth morgais, a bellach fel y gwyddai Edgar Owen y Ditectif Insbector ar ddrysau'r tai cyngor yr oedd o'n curo'n amlach na heb. Bellach byw ar chwithdod yr oedd o. Yn emosiynol yn cerdded drwy'i fywyd fel dyn â charreg fechan yn ei esgid yn barhaol. A'i gymeriad o run fath ag un sy'n rhoid pelenni o bapur newydd mewn esgidiau gwlybion, roedd o'n sugno teimladau a phethau ych-a-fi pobol eraill gan adael ei berfedd ei hun yn slwtj. Roedd y Gymru a adwaenai o unwaith wedi darfod ac nid oedd yn bodoli mwyach ond yng nghrebwyll rhai cenedlaetholwyr gogleddol. Ac wrth gwrs yn ei grebwyll o. Yn Sain Ffagan ei deimladau.

'Yda chi'n briod, Edgar?' holodd Dulyn Pari o.

Ar yr 11eg o Fedi flynyddoedd yn ôl y derbyniodd Edgar Owen ei dicrî absoliwt. Cydiodd yn y gair 'absoliwt' a cherddodd yr yfwr alcohol unwaith yn y pedwar amser hwn i'r offi a phrynu – ran sbeit – botal o fodca Absolut. Ac yfodd ei hun y noson honno i rwla arall ynddo'i hun, i hen ystafell yng nghefn pwy oedd o ac a oedd wedi bod yn disgwyl amdano. Ond nid honno oedd y botel Absolut olaf iddo ei phrynu. Nid o bell ffordd.

Roedd ganddo ystafell go iawn yn nhop ei dŷ. A dim ynddi ond bwrdd ac ar y bwrdd ddau wydr, un iddo fo ac un i'w wraig absennol a rhwng y gwydrau yr Absolut. Ar y bwrdd hefyd roedd recordydd tâp. A dwy gadair. Un iddo fo. Ac, wrth gwrs, un i'w wraig oedd wedi esgusodi ei hun beth amser yn ôl. Yn y gornel, teledu a pheiriant fideo. Bob nos, os nad oedd wrth ei waith, yma roedd Edgar Druan. Y fo a llais ei wraig, y fodca, gweddill tec-awê a fideo.

Heno yn ôl ei arfer arllwysodd wydriad o fodca iddo'i hun a phwyso'r botwm ar y recordydd tâp.

Edgar! meddai ei wraig wrtho. (Y neges yn llawn ar ei beiriant ateb flynyddoedd yn ôl cyn iddo fo ddewis a dethol y geiriau a fynnai eu clywed, y rhai wrth ei fodd, oedd *Edgar!* Paid â ffonio fan hyn eto!)

Paid â byth gadael, Edgar!

(*Paid â byth* alw yma eto. Dwi byth isio digwyddiad fel neithiwr. *Gadael* lonydd i mi *Edgar!*)

Dwi dŵad yn ôl.

(*Dwi* ddim yn *dŵad yn ôl.* Neidi ddalld!)

Chariad Edgar. A dwi'n golygu hynny.

(Mae Leusa a'i *chariad* yn dŵad draw heno, *Edgar*, i gyhoeddi eu dyweddïad. Well titha ddŵad draw. Ond am hannar awr. *A dwi'n golygu hynny*, hanner awr.)

Ond drwy niwl fodca fe glywai ei llais go iawn. Bob nos.

Tisio fi? clywodd hi'n gofyn, y diniweidrwydd a'r ofn yn ei llais noson eu priodas. Nid oedd run o'r ddau wedi cyffwrdd â'i gilydd ynghynt, er dyheu, dduw mawr er dyheu! Nac yn neb arall ychwaith. Hi oedd yr unig un. Fo oedd yr unig un. *O'n i'n rhy drwm i chdi?* holodd hi wedyn. *Na! Na! Odda ti'n iawn. Diolch.* Ac yntau y bore wedyn yn ei gwylied hi'n slei bach yn rhwbio â chornel tamp tywel y sdaen gwaed ar y gynfas gan adael o lanasd ei gwyryfdod ôl egwan pinc.

Ond mi oedd hyn i gyd yn gamgymeriad hyd yn oed bryd hynny, mae'n amlwg. *Ifanc oedda ni, Edgar Druan! Oedda ti ddim wedi bod hefo neb arall. Na finna. Ddim wedi ffendio dy hun. Camgymeriad hapus ar y cychwyn ond fel pob camgymeriad mae o'n hwyr neu'n hwyrach yn lledu'n wenwyn.*

Cai dŵad yn ôl.

(Mae *Cai* yn *dŵad* adra. Gei di ddŵad i weld o cyn iddo fo fynd *yn ôl*.)

Oes 'na rywun arall?

Oes fel mater o ffaith! Bob! Does 'na ddim byd wedi bod rhyngtho ni ond ma gin i deimladau tuag ato fo.

A ma gynno fynta wraig?

Nagoes! Dim ers dydd Sul. Mae nhw wedi dŵad â'r briodas i ben.

Pryd? Rhwng y bîff a'r pwdin reis?

Dyna oedd dewis aeddfed y ddau. Rhy ifanc oedda nhwtha hefyd debyg. Tyfu ar wahân. Mae priodasau weithiau yn dod i ben. Does 'na ddim byd yn barhaol, Edgar Bach. Mi ddaw Leusa a Cai hefo fi. Mi fydd hyn yn gyfla i titha hefyd. Ma ogla tŷ, ogla

llwydni, yn lledu rhyngtho ni. Ti ddim yn gweld? Agor dy llgada.
Ti ddim isio gneud dim hefo fi. A dwinna ddim isio gneud dim
hefo chditha.

Tydwi ddim isio dysgu Ryshan ma hynny'n saff.

Ti'n gweld! Bacha ar dy gyfla. Dy ryddid newydd. Dwi'n
ddiolchgar am be gutho ni. Ond dwi isio camu mlaen ar 'y mhen
fy hun.

Dim cweit ar dy ben dy hun, naci. Ti 'di anghofio Bob-a-
job.

Tydwi ddim isio Bob chwaith. Ond mae o yna fel posibilrwydd.

Fel rhyw fath o bolisi siwrin, ia? Rhag ofn y bydd yr 'ar
ben fy hun' 'ma yn llethol.

Cofleidia ditha'r posibiliadau a'r newydd.

A dysgu Ryshan, ia? Er mwyn i mi gael siarad hefo fi'n
hun mewn iaith arall.

Beth bynnag sy'n cyfateb ynot ti i fy nosbarthiadau Rwseg i.

Ac fe adawodd Eleri Owen Edgar Druan y dyn cinio
dydd Sul am hanner dydd, tatws a grefi a veg, dyn pobol
dda a phobol ddrwg, ar foreau Llun da chi'n golchi'ch
dillad budron, fe ddylai penaethiaid ymddiswyddo os oes
yna ogla drwg yn tasgu o'u cwmnïau nhw, mi oedd o'n un
o'r wyth yn y capel ar fore Sul yn canu'r emynau yr oedd
eu hystyron wedi diffodd yng nghieidd-dra hanes
diweddar ond yr oedd Trefn yn bod yn rhywle ac yn anodd
drybeilig ei deall yn aml ac yn gyfnewid am hyn i gyd fe gâi
ei gymar ffyddlondeb, pres yn y banc, teyrngarwch,
cymedroldeb. Be gythral arall oedd rhywun isio? A
chychwynnodd Edgar Druan ei daith i fod yn ddyn
tec-awê.

Gwthiodd y fideo i'r peiriant fel postio llythyr i Neb.
Disgwyliodd. Y sŵn hisian. Eira ar y sgrin. Y llinellau cris-
croes yn gryndod. Yna'r pictiwr. Yr un un. Fel neithiwr. A'r
noson cynt. A'r noson cyn honno. Yr hogan orweddog,

noeth. Cefn noeth y dyn. Y lleisiau Almaenig. Ac yntau'n teimlo blys, chwant, ysfa, cywilydd, hunangasineb, dicter, chwerwder, dagrau, unigrwydd. Ac mae o'n syllu a syllu a syllu. Fel petai o'n methu peidio. Clywodd gloch y drws ffrynt yn canu.

Pan ganodd Dulyn gloch drws ffrynt Edgar ni wyddai yn iawn pam yr oedd o yn gwneud hynny. Pan glywodd Edgar y gloch yn canu o'i ystafell gêl dychrynodd fel petai o wedi cyflawni rhyw drosedd nad oedd yn ymwybodol ohoni. Ond damia! fo oedd y plismon. Gyda rhyddhad, meddyliodd Dulyn nad oedd neb adref ond damia! daeth golau ymlaen yn y pasej a ffurf dyn yn ymrithio ar y ffrosded glàs fel cysgod, yn gryndod ar ddŵr, ac ar y ffordd i lawr y grisiau roedd dychryn blaenorol Edgar wedi troi'n chwilfrydedd, chwilfrydedd oedd yn cynyddu gan nad oes neb fyth yn galw yn Eleri ac os yn y pedwar amser y digwydd hynny i'r drws cefn y dônhw oherwydd *pedwar sy'n dŵad i ddrws ffrynt* clywodd ei Fam yn ei ddeud yn ei gof, *posman, plismon, person ac yndyrtecyr* ond drwy'r drws ffrynt yr aeth ei wraig, fe wyddai oherwydd bod y draffdegsglwdyr wedi symud a hwyrach, oblegid gallasai deimlo y mymryn lleiaf o wasgfa yn ei gylla, mai hi oedd yna'n ôl heb newid dim. *Sori! Edgar! Sori!* mae hi ar fin ei ddweud wrth iddo roi'r golau ymlaen yn y pasej a gweld yn y ffrosded glàs siap annelwig dyn arall fel pan da chi'n chwalu'ch adlewyrch eich hun mewn dŵr llonydd â charreg ond *be gythral ddudai rŵan*, meddai Dulyn wrtho'i hun a'r drws yn agor.

''Rargol, Mr Pari!' meddai Edgar a Dulyn yn suddo i'r llawr ar ei liniau'n wylo'n hidl.

'Oedda chi wedi anghofio deud rhwbath wrtha i bnawn ddoe, Dulyn?' meddai Edgar Owen yr Insbector yr oedd amheuaeth yn ail natur iddo gan roid panad o goffi llugoer ar yr un pryd i Dulyn. 'Sgin i ddim byd cryfach ma gini ofn.'

'Dŵad yma i wynebu'r gwir wneshi, Edgar. Chi'n gweld tydwi ddim yn meddwl mai damwain oedd hi. Dyna oedd bwriad fy ngwraig. Lladd ei hun a'r plant. Er mwyn fy nghosbi i.'

'Dwi'n gweld.'

'Ma'n ddrwg gini . . . y sdepan drws.'

(Rhwng dyn sy'n ysgwyd llaw yn gadarn, hyd braich, i gydymdeimlo â rhywun a dyn sy'n methu'n lân â chadw trefn ar ei emosiynau fel hen hulpan wirion.)

'Popeth yn iawn, Dulyn.'

'Ond tydy popeth ddim yn iawn yn nacdi! Glywsoch chi be ddudasi?'

'Do.'

'Wel?'

'A pha dystiolaeth sy ganddo chi?'

'Yda chi'n ddyn ffilmiau?'

'Fedrai ddim deud 'y mod i.'

'Kieslowski?'

Agorodd Edgar ei law chwith a'i gwyro i gyfeiriad Dulyn i'w gymell i fynd ymlaen.

(Rhwng dyn sy'n gwybod mai arwr sy'n saethu dynion drwg ydy John Wayne a dyn sy'n ymateb yn sensitif i *Kiss of the Spider Woman*.)

'Cyfarwyddydd o Wlad Pwyl. Ei ffilmiau o'n ymwneud yn aml â chyd-ddigwyddiadau. Byw yn Ffrainc. Fuo fo farw'n ddisyfyd dro'n ôl. Ei dair ffilm olaf o, cyd-blethiad sinematig anhygoel, pob un ffilm yn dwyn enw lliw, *Glas*, *Gwyn*, *Coch*. Lliwiau fflag Ffrainc. A phob lliw yn arwyddocáu delfrydau'r Chwyldro Ffrengig, rhyddid, cydraddoldeb, brawdoliaeth.'

Ochneidiodd Edgar Owen.

'Sori! Dwi'n darlithio tyndw.'

'Fel yr oedd eich gwraig yn arfer gwneud. Mae hi'n glòs yn y sdafell ma. Mi gora i ffenasd.'

Ond arhosodd yn ei unman.

'Iawn?' meddai Dulyn.

'Iawn! Mlaen â chi.'

'Dyna'r pwynt! Y ffilm *Blue. Glas.* Reit ar 'i dechra hi mae 'na ddamwain car. Tad a dau o blant yn cael eu lladd. Neithiwr am ddim rheswm mi rois i'r peiriant DVD ymlaen, a dyna lle roedd yr union olygfa honno, wedi ei gadael yno gan Dwynwen i mi ei ffeindio hi. Mae'n rhaid 'i bod hi wedi ei rhoi hi yn y peiriant yn fwriadol y noson cyn y ddamwain – y llofruddiaeth! – Insbector. Yno fel llythyr oddi wrth hunanleiddiad. Da chi'n gweld be sgini? Ac mi ddudodd eich dynion chi nad oedd yna neb arall ar y lôn, dim byd o'i le ar y car, dim byd o'i le ar y lôn.'

Ysgwyd ei ben yn araf bach a wnaeth Edgar Owen gan sbio i'r nenfwd ac wedyn i fyw llygaid Dulyn Pari.

'Dulyn! Na, doedd 'na ddim byd o'i le ar y car. Nac ar y lôn. Ac oedd mi roedd y lôn yn wag. Ond, a dyma'r farn dwi wedi ei chlywed dros banad yn y cantîn, i un o'r hen blant bach neu'r ddau, oherwydd ymgecru falla, plant ydy plant, dynnu ei sylw hi ac i hynny beri iddi hi golli rheolaeth . . . ac i mewn i'r goedan. Ac mi oedd hi'n ddreifar ffasd yn doedd? Clywad hynny hefyd dros banad. Doedd yr hen leinshans ddim yn lân, Dulyn, yn nagoedd? Hynny fydd y farn swyddogol pan ddaw'r cwest, Dulyn. Fedrai ddeud hynny wrtha chi rŵan. Ac yn ôl yr ystadegau wyddochi fod y rhan fwyaf o ddamweiniau'n digwydd o fewn ychydig filltiroedd i'r cartref ar hyd lonydd hollol gyfarwydd?'

'Ond fe eill fy esboniad i – na! fy narganfyddiad i – fod yn wir hefyd. Y gwir!'

'Dulyn! Be oedd enw'r dyn ffilmiau 'na eto?'

'Kieslowski.'

'Hwnnw! Cyd-ddigwyddiad! Y ddamwain – y ddamwain! Dulyn – a'r ffilm yn y peiriant fel chi a'r hogan yn y Metropole ar yr un dwrnod. Cyd-ddigwyddiad!'

'Hi nath!'

'Mae 'na dair ffordd o esbonio pethau, Dulyn. Rhagluniaeth. Damwain. Cyd-ddigwyddiad. Ac mi ryda chi wedi profi dwy o'r ffyrdd rheiny!'

'Mae yna bedwaredd, Edgar! Dewis! Bwriad! Ewyllys rydd. Mi ddewisodd hi'r weithred. Hi nath!'

'Da chi rŵan yn nhir cred, Dulyn. Credu mai hi wnaeth yda chi. Ac fel y gwyddoch chi'n iawn does 'na ddim iot o dystiolaeth i'r un gred. Y cwestiwn i chi ydy pam 'ch bod chi'n *credu* mai hi nath? Be ydy'r angen yno chi sydd y tu ôl i'r gred? Be mae'r gred yn ei ddiwallu? Yn ei batjio hyd yn oed?'

'Amheuaeth,' ysgrifennodd Huan Ellis yn ei ddyddlyfr. Heb amheuaeth i gracio rhyw sicrwydd anystywallt ni fyddai dyn wedi cyrraedd brig y greadigaeth. Y mae rhyddid pobl yn dibynnu ar eu gallu nhw i amau. Does ryfedd yn y byd nad yw crefyddwyr ac eidiolegwyr eraill yn goddef amheuaeth a'i disodli â ffydd ddiamod *be ti'n neud* meddai Lleucu a'i dwyfraich blethedig yn pwyso'n gyfforddus ar ei ysgwyddau ac anadl geiriau ei chwestiwn yn goglais ei glust, *yr hen sgwennu 'ma eto* a brathodd un o gudynnau llwyd ei wallt. Cododd ei law i fwytho'i phen. 'Amheuaeth yw drws gwybodaeth, ysgrifennodd. *Dwi'n mynd am bisiad,* meddai wrtho, *tisio 'ngwatjad i neu sa well gin ti roid dy fysidd ynoi a gadal i'r piso redag hyd dy law di.* Mi fuodd hi'n hir cyn ailymddangos. Y cimono sidan coch, tryloyw amdani a'i bronnau'n troelli tu mewn i'r defnydd a'r defnydd yn symud fel fflamau mewn tân. *Sori mod i 'di bod yn hir,* meddai, *ond dwi 'di shafio 'mlew i ti.* A gwahanodd y defnydd a syllodd Huan ar y cnawd gwyn fel llefrith a'r agen lliw caramel llyfn yn siâp 'W' rhwng ei chluniau. *Rho goc yno'i wir dduw,* meddai, *ne mi fyddai farw.* Rhuthrodd Huan tuag ati a chofleidiodd y gwacter. Y math o wacter na eill ond marwolaeth ei hun ei greu.

12

Isa Hasan Ali

Edrychodd Sab ar y llythyr eto. Ac eto. *Mam* oedd o'n ei ddweud. *Dear Mam.* Ia! Ia! Llawysgrifen Sammy. Llawysgrifen oedd wedi aros braidd yn blentynnaidd. Roedd hi yn ei hadnabod mor dda. Gallai ei weld o rŵan – faint fyddai ei oed? – wyth, naw efallai, a'i dafod yn gwthio ychydig am allan a'i law yn tynnu'r feiro'n bwyllog ar hyd y llinellau. Dim cweit sgwennu sownd dim cweit llythrennau ar wahân. Ond taclus. Cymen deud y gwir. *Ga i weld?* meddai Sab dros ei ysgwydd. *Welsh ydy o, Mam. O! no good for me felly.* Edrychodd eto ar y llythyr. Ia! Ei sgwennu o. Ond yr enw ar y gwaelod. *Isa Hasan Ali.* Sammy!

Mae hi'n darllen.

13

Sbul the bîns, ia, Mr Ellis

Cydiodd Dulyn yn y llun. Dwynwen a'i phenelin ar ysgwydd Huan Ellis a Rhodri rhyngddynt yng ngardd Bryn Cloch rhyw ddiwrnod o haf, gwên ar wyneb pob un, ac yn piciad o gornel roedd berfa Sbei Morus, ei raw a'i gribin wair i'w gweld a hyd yn oed blaen welinton werdd y diawl.

'Da chi wedi bod acw felly,' meddai Dulyn wrth Huan Ellis.

Darllenodd gefn y llun. *I Huan, i gofio'r diwrnod, cariad mawr Dwynwen a Rhodri.*

'Do! Mi fûm i. Droeon.'

Mi oedd hwn – *the marvellous Mr Ellis* – wedi cerdded ar hyd ei fywyd o, wedi mynd drwy'i bethau o, wedi ei fela fo a fynta ddim callach, wedi cysgu yn ei wely am a wyddai.

Ger y ffenestr sylwodd Dulyn ar lyfr ysgrifennu trwchus ar agor ar ddesg Georgaidd a hanner tudalen wedi ei gorchuddio â'r llawysgrifen fannaf a welodd erioed fel petai o mond wedi defnyddio coes pry i lusgo edau'r geiriau ar hyd y gwynder. Wrth edrych ar y ddalen daeth yr enw 'Lleucu' i grebwyll Dulyn.

'Be?' meddai'n uchel.

'Beddudsochi?' meddai Huan Ellis.

'Ddudishi ddim,' ebe Dulyn.

Roedd gweddill y bwrdd, sylwodd, wedi ei hau â geiriaduron. Ar hyd y waliau roedd silffoedd ar silffoedd o lyfrau. Petai rhywun wedi gofyn iddo yn y fan a'r lle i ddisgrifio'r ystafell mewn un gair, 'Iaith!' fyddai'r gair hwnnw. Teimlai Dulyn ei fod y tu mewn i ystorfa ymhle yr oedd geiriau'n cael eu cadw, eu didoli, eu rhestru, eu diddymu hyd yn oed. Petai modd tynnu carreg o'r wal nid carreg fyddai yna ond geiriau wedi eu cywasgu'n lwmpyn. Tŷ wedi ei adeiladu o iaith oedd hwn? Ystafell oedd hon? Ynteu ceg? Y fynedfa i glust?

'Be'n union oedd fy ngwraig yn ei wneud yma?' meddai Dulyn yn edrych ar Huan Ellis oedd yn eistedd yn y gadair yn debyg o'r ochr i farc cwestiwn. Ei sawdl yn ffwl sdop.

(*Hanfod prifio*, meddai Huan un diwrnod wrth Dwynwen, *ydy byw hefo amwysedd, eich amwysedd chi eich hun ac amwysedd yr un o'ch blaen chi. Medru dal cariad a chasineb tuag at rywun arall hefo'i gilydd yn yr un lle, heb syrthio i'r heresïau o ddelfrydu yr un o'ch blaen nac ei bardduo.*)

'Siarad a finna'n gwrando,' ebe Huan.

'Hi'n rhannu cyfrinachau a chitha'n glustiau i gyd, ia?'

Bu Dulyn yn yr ystafell yma o'r blaen, dirnadodd, ugeiniau o weithiau. Wedi dod yma drwy geg ei wraig, wedi ei rithio i fodolaeth – yma! – gan gynion, morthwylion, mynawyd, llif, hoelion ei geiriau hi, *ma fo ylwch, Huan, un fel hyn ydy'r cwd. Sbiwch arno fo, sbiwch y siâp sy arno fo bendith dduw i chi. I'r llongddrylliad yma dwi'n briod ylwch, Huan.*

(*Y mae ein cyfrinachau yn ein cadw ni'n sâl, Dwynwen. Dyna ddywedodd Jung.*)

'Sbul the bîns, ia, Mr Ellis,' meddai Dulyn.

'Pan ddaeth Dwynwen yma,' meddai Huan, 'roedd hi'n wraig drafferthus.'

Trafferthus! meddai Dulyn yn blasu'r gair ynddo'i hun, *dwi'n hitio dim am y gair yna.*

'Mi roeddwn i wedi gosod hysbyseb yn y papur ac mi ymatebodd hi – a bu i ni drefnu i gael un sesiwn . . .'

Sesiwn! meddai Dulyn yn ei grebwyll, *Rhyw sesh fach, Dwynwen.*

' . . . dyna'r arferiad hefo clientau newyddion . . .'

Clientau! Winc-winc!

' . . . ac fe ddywedodd hi rai pethau . . . a arweiniodd i mi gytuno i'w gweld hi'n wythnosol . . .'

Does ddim raid i chi fynd i nicyrs neb i'w ffwcio nhw, ebe Dulyn rywle yn ei gylla.

'. . . i wrando . . . Dyna beth ydy therapi yn y diwedd . . . creu gofod diogel i bobl fedru dweud eu dweud . . . a tydy'r therapydd yn ddim byd namyn . . .'

Namyn! Ffycin hel!

' . . . drych ymhle y medr y person weld ei hun yn gliriach . . . ymestyn ymwybyddiaeth . . . dyna'r cwbwl.'

'Y cwbwl ta'r cybôl? Ac ma'n siŵr bod American Bill yn y cwbwl 'ma.'

(*Mae o wedi anfon y llythyrau i gyd yn ôl i mi, Huan. Be ddylswn i neud hefo nhw?*

Mae hynny i fyny i chi. Ond weithiau, Dwynwen, mi ryda ni'n gosod pethau hwnt ac yma hyd ein hunain ac ar hyd y lle, mond ychydig o dan yr wyneb, er mwyn i rywun arall ddod o hyd iddyn nhw. Mae bywydau pawb yn drybola o gliws i pwy ydy nhw go iawn.)

'Mae pobl yn datguddio be mae nhw isio'i ddatguddio, Dulyn.'

Dulyn! Mi oedd ei enw wedi bod yma o'r blaen hefyd. Wedi ei fownsio fel pêl rhwng y ddau. *Catch! Huan,* Dulyn y bêl, y broblem, yr enw cywir ar fy anhapusrwydd i, *dull* Dulyn, Mr Mediocrity, *there's nothing there any more.*

'Blanc sy o'ch blaen chi rŵan ia, Huan? Twll. Da chi'n gwbod 'ch bod chi'n siarad hefo dim byd yn dydach? Oherwydd dyna oedd fy ngwraig yn ei feddwl.'

(*Y geiriau fel golau ffloresant: y golau brwnt, ffyrnig nad ydy o'n caniatáu cysgodion i chi fochel. Mae geiriau fel 'na weithiau, Dwynwen. Y geiriau sydd wedi diosg eu gallu i awgrymu, i fod yn dyner, i glirio lle ar gyfer amwysedd pethau. Geiriau nad oes ynddyn nhw drugaredd.*)

'Eniwe, dwi'n gobeithio 'i bod hi wedi talu'n dda i chi!'

'Mi roedd yna ffioedd, oedd.'

'Pres! Dudwch pres! Nid ffioedd, ddyn! Ond pres. Gair trwm ydy'r gair 'pres'. Gair â gafael ynddo fo. Hefo ogla copr yn tasgu ohono fo. Yn gneud i chi feddwl am dwll yn 'ch pocad chi a swllt yn llithro lawr 'ch clun chi'n oer ac i'ch esgid chi pan oedda chi'n hogyn bach. Fuo chi rioed yn hogyn bach, dwch? Roddodd hi bres i chi, Huan?'

'Mae ffi yn rhan o'r terfynau a'r cytundeb therapiwtig.'

'Wrth gwrs 'i bod hi. Pres yn cyfnewid dwylo am joban o waith.'

'Ond, Dulyn, cyfnod yn unig oedd hynny. Mi ddaethon ni'n ffrindiau. Ac mi fydda Dwynwen a Rhodri yn galw yma'n gyson. Mi roeddwn i isio dod draw i gydymdeimlo. I weld Rhodri'n arbennig. Ga i roid rhywbeth i chi i'w roi i Rhodri? Ma gen i ystafell drwodd yn fanna yn llawn o eiconau. Yno byddai Rhodri'n licio treulio'i amser. *Mae o wrth ei fodd hefo lliwiau* fyddai Dwynwen yn ei ddweud. A'r eicon oedd wedi mynd â'i fryd oedd un Rublev, *Y Drindod*. Wyddoch chi amdano? Y tri pherson llonydd yn gwyro'n dyner at ei gilydd fel i glustfeinio yn gylch perffaith. Mi oedd gen i gopi llai na'r un mawr drwodd yn fanna. Ewch chi â fo iddo fo?'

Ac estynnodd hirsgwar bychan wedi ei lapio â phapur sidan glas.

'Ohono ni i gyd, Dulyn, Rhodri ydy'r unig un sy'n gyfan. Dowch â fo draw. A dowch chitha eto.'

'Faint sy arna i i chi am y sesiwn yma?' meddai Dulyn yn

codi ac yn reddfol yn rhoi ei law ym mhoced tu mewn ei siaced lle'r oedd ei lyfr o sieciau.

'Mi roedd y gynta bob amser am ddim,' meddai Huan yn codi hefyd.

Edrychodd Huan ar Dulyn yn cerdded ar hyd llwybr yr ardd i'w gar.

Un sy'n dengid ydy Dulyn, meddai Dwynwen o'i doe oedd wedi ei gloi yn saff mewn papur sidan glas yn ymwybod Huan Ellis.

Yn ei gar deialodd Dulyn ei swyddfa.

Ty' laen Paula! . . . Ty' laen! . . . Paula! Gwranda! Ydy'n tjec bwc i yna? . . . Dwi newydd sylweddoli nad ydy o gin i. Drycha neidi . . . Yndyo? . . . Nacdi! . . . Ond lle uffar mae o ta? . . . Lle mae o?

A diffoddodd ei ffôn.

'Pwy ffwc ydy Lexy?' gwaeddodd i gyfeiriad tŷ Huan Ellis. 'A pwy ffwc ydw i?'

Mae yna fwy ohono ni yn ein habsenoldeb nag yn be welwch chi, Dwynwen.

14

Côt blu

Roedd mynd i ystafell yr eiconau yn atgoffa Rhodri o arferiad ei Fam *fel bydda dy Nain yn gneud* o feddalu lwmpyn o fenyn ar blât oedd wedi ei osod ar ben sosbennaid o ddŵr berwedig *ond mai tân go iawn oedd gin dy Nain, tân glo, a'r plât ar ongl ar y ffendar* oherwydd roedd golau'r canhwyllau yn llithro oddi ar liwiau'r eiconau gan iro'r waliau â lliw menyn tawdd. Y golau oedd yn llifo hyd yr ystafell fel menyn yn sgleinio ar wyneb crempog. *Gei di'r gynta! A gawn ni'n dau jam mefus a hada yno fo ac mi fydd yr hada'n annifyr o neis rhwng 'n dannadd ni'n bydd, cyw.*

I ystafell yr eiconau y byddai Rhodri'n mynnu mynd bob tro y deuai ei Fam i weld Mr Ellis *ŵyr dy Dad ddim am hyn, cofia!* A'i hoff eicon *hwnna da chi'n licio te, Rhodri,* meddai Huan Ellis, *dyn o'r enw Andrei Rublev beintiodd o, er nad peintio eicon yda chi ond ysgrifennu eicon, dyn o Rwsia ac fe'i hysgrifennodd o mewn cyfnod brwnt ac ysgeler.*

Yn ystafell yr eiconau y gwelodd Rhodri un prynhawn gôt blu Mr Ellis. Wedi ei thaflu ar hast dros gefn cadair oedd wrth ymyl y ffenestr fawr, ffenestr a oedd y pnawn hwnnw wedi ei chau â dorau pren. Ond y gôt! Yn blu amryliw. Plu a oedd yn symud y mymryn lleiaf, yn ysgafn fel anadl babi, oherwydd gwres y canhwyllau yn poethi'r aer gan ei gylchdroi o gwmpas yr ystafell. Pluen las wrth ymyl pluen oren wrth ymyl pluen borffor wrth ymyl pluen werdd . . . Agorwyd y drws yn dawel a daeth Mr Ellis i mewn. Cerddodd ar flaenau ei draed at y gôt a'i chodi i'w hafflau yn gwmwl ysgafn o liwiau. Winciodd ar Rhodri. *Ti'n iawn yn fanna*, sibrydodd. A cherddodd yr un mor ysgafn droed allan o'r ystafell gynnes.

Ond gwyddai Rhodri iddo ddarganfod cyfrinach Mr Ellis. Gwyddai ei fod o'n medru hedfan. Allan drwy'r ffenestr fawr yn nhrymder y nos. Yn gomed dân uwchben y dref ddistaw. Yn dân o liwiau. Doedd ryfedd yn y byd fod ei Fam yn dŵad yma i siarad hefo'r dyn yma oedd yn medru troi'n aderyn pan oedd pawb arall yn cysgu.

Y noson honno dychmygai Rhodri yr aderynddyn yn goelcerth o liwiau yn chwyrlïo uwchben y dref fechan, ddinod, Gymraeg ac na wyddai neb arall ond fo fod y ffasiwn ddigwyddiad yn cymryd lle. Ni fyddai neb arall yn medru ei weld beth bynnag, oherwydd yr oedd yn rhaid i chi gredu cyn y medra chi weld. Mor annifyr, mor dlawd, oedd bywydau pobl, meddyliodd Rhodri, oedd yn edrych i'r nos gan weld dim byd ond tywyllwch.

15

Y ffeithiau

Piciodd Edgar Owen yn ôl i fod gyda'r corff. *Edrychwch ar y ffeithiau.* Dyna oedd yn dyrnu yn ei ben. *Dwi'n mynd yn ôl am un lwc fach arall. I edrych ar y ffeithiau.* Edrychodd â llygaid crwner. Ond teimlodd â llaw mam. Oherwydd gwyddai Edgar Owen nad dod i edrych ar y ffeithiau yr oedd o.

Meddai ynddo'i hun: *does 'na neb yn y diwedd yn fodlon ar y ffeithiau. Y ffeithiau am y sêr, er enghraifft. Nwyon golosg, ffrwydriadau thermoniwclear – dyna'r ffeithiau. Ond beth sy'n digwydd i ni pan edrychwn i'w cyfeiriad – y strimstramstrellach o winciadau y bu i rywrai unwaith eu didoli yn siapiau, eu trefnu'n batrymau, yn Orion ac yn Bleiades. Yn arwyddion y Sidydd oedd yn ein rheoli ni. Yn y gweld a'r edrych, mynd tu draw i ffeithiau a wnawn ni i feiddio dychmygu tu-hwntrwydd, duwiau, byd arall, chwedlau, parhad, dirgelwch, annigonolrwydd atebion. Nid ar ffeithiau y bydd byw dyn ond ar y cadw-fyth-ar-agor hwnnw y mae'r dychymyg yn ein goglais ni iddo.*

Edrychodd Edgar ar yr eneth a chododd ei chorff sanctaidd â thrugaredd ei lygaid uwchlaw burgyn. Yr oedd o yn golchi bellach ei chnawd â'i edrych. A gwelodd fel edrych mewn drych. *It is Margaret you mourn for.* A llifodd holl ddyheadau a cholledion ei fywyd ei hun drosto.

Rhywbeth i ddianc rhagddynt yw'r ffeithiau. Dyna beth y mae pobl wedi ei wneud erioed. Dengid i babell simsan llawn tyllau crefydd, i gelfyddyd, i gysgod y trasiedïau mawrion *Antigone, Hamlet, Llŷr.* Cuddied wastad yn hofal geiriau. *Tom's a cold.* Pwy ddywedodd: *mae'r ffeithiau yn ofnadwy?* Fy arwr, Nietzsche? Ynteu *mae'r gwirionedd yn hyll* ddywedodd o?

16

Mam a'i mab a'i daid

Roedd afradlonedd yr haf y dechrau Mehefin hwnnw ychydig flynyddoedd yn ôl yn peri iddo deimlo'n ddiogel wrth symud ar hyd y lôn. Ei Fam yn mynd ag o'n dyner yn ôl ei harfer yn y gadair olwyn. Picelli'r bysedd cŵn, tarianau'r rhedyn yn ei wylio'n amddiffynnol. Pob bwlch yn y gwrychoedd o'i boptu wedi ei gau gan lifeiriant o wyrddni. Nid oedd yna na chrac nac agen nad oedd yr haf wedi eu lliwio ymaith. Popeth yr oedd y gaeaf yn ei adael ar agor, yn ei fylchu, yr oedd yr haf yn ei fendio. Nid oedd dichon i na neb na dim ei anafu ar y lôn honno y pnawn hwnnw a natur fel nyrs wedi huddo popeth â'i moddion llawn lliw. Edrychodd ar y glesni uwch ei ben. Yn cyniwair drwyddo ymdeimlodd â'r angen i rwbio'i fysedd nôl a blaen hyd y glas a'i dynnu'n un defnydd amdano gan wybod y byddai'n diflannu i'r lliw. Ond nid diflannu yn yr ystyr o beidio â bod ond diflannu i'r mwy yna ohono'i hun nad yw'n dibynnu ar gael siâp a chroen a gïau a medru cerdded a bod-fel-pobl-eraill. Gwyddai ei fod yn rhan o bopeth. Ynddo roedd cân yn eplesu. Ymestynnodd ei law nes cyffwrdd y glas a'i dynnu fel y mae rhwyf yn tynnu dŵr, ei dynnu drosto'n sidan tryloyw.

'Awn ni i dŷ Elliw,' meddai ei Fam. 'Ia?'

Ei Fam y gwyddai ei bod hi o'r tu ôl iddo wedi troi'n lliw glas.

Mor wahanol oedd heddiw.

'Awn ni i dŷ Elliw,' meddai ei Dad. 'Ia?'

Yr un geiriau. Yr un gyrchfan. Ond nid yr un profiad.

Mynd â chdi fyddai ei Fam. Gwthio oedd ei Dad. Ei Dad y gwthiwr. Pwsho. Pwsho a gwthio'r llwyth ym merfa ei emosiynau ei hun. Berfaid oedd Rhodri iddo. Nid personoliaeth.

Yn araf ond yn sicr roedd cwmwl yn dechrau gorchuddio Dulyn Pari. Nid oedd o'n ymwybodol pa mor gyflym yr oedd o'n gwthio Rhodri. Na pha mor ddiofal oedd o yn anwybyddu'r tyllau a'r pantiau ar y llwybr i dŷ Elliw. Nid oedd dichon iddo weld yr ofn yng ngwyneb ei fab. Ni chlywodd o ddim o eiriau Sbei Morus a chlamp o garreg briddllyd rhwng ei ddwylo, ei benagliniau wedi plygu, ei gefn yn camu a'i wyneb yn dursia i gyd yn trwsho wal i Elliw *be uffar haru chi ddyn?* Yr oedd Dulyn bellach yn gynddeiriog y tu mewn iddo'i hun. Y math o deimladau y mae'n rhaid i chi eu cael nhw cyn y medrwch chi ladd rhywun. Gwthio Rhodri, gwthio cyllell, run peth. Rhywbeth ynddo nad oedd iddo nag enw na siâp, rhywbeth anniffiniadwy a phetai chi'n trio enwi'r rhywbeth yna byddai'n taflu'r enw i ffwrdd fel y mae ebol heb ei dorri mewn yn taflu'r cyfrwy oddi ar ei gefn. Nid oedd Dulyn yn ddim byd namyn un symudiad gorffwyll am ymlaen, ei olwg wedi ei gymylu, ei feddwl wedi ei ferwino.

Nes iddo fo ganfod ei hun ar y mymryn tir lle mae'r ymyl di-glawdd yn llithro'n bwt serth at yr Afon Gam yn sefyll yn stond, yn anadlu'n drwm, yn syllu i'r nunlle o'i flaen, ei ddwylo gwaglaw yn gwthio dim.

'Tendiwch!' meddai Sbei Morus yn neidio dros yr ymyl ac yn sglefrio lawr y llethr at yr Afon Gam lle'r oedd y gadair olwyn ar ei hochr yn y dŵr a Rhodri'n gorwedd yno'n llonydd ar y dorlan.

'Be ti 'di neud?' meddai Elliw yn mynd heibio.

Nid oedd Dulyn wedi sylweddoli ynghynt pa mor braf

oedd y diwrnod. Y llain o goed yn fancw'n gawell o oleuni. Y bwtsias y gog yn gryndod glas. Chwa sydyn o wynt yn codi'r dail ifanc am i fyny'n wyrddni tryloyw. Cwmwl yn croesi llwybr yr haul yn ddigywilydd nes duo'r llawr, ond mond am chwinciad, wedyn wrth iddo fo gilio, yr hen beth powld!, ffrwydriad o oleuni'n dychwelyd y lliwiau. Canai'r gog yn rhywle agos. Cwcw-cwcw. Yn y pellter roedd yr Afon Gam fel darn o bapur arian yr oedd rhyw gerddwr blêr wedi ei luchio ar lawr wrth iddo gnoi ei KitKat yn ddihid. *A fancw ylwch! Mam a'i mab a'i daid yn cael pic-y-nic, a ma nhw wedi tynnu'r hen hogyn bach o'i gadar olwyn. 'Na chi neis ar bnawn mor braf â hiddiw.* Ond yr oedd yn rhaid iddo fo fynd. Fedra fo ddim aros, sori! Mynd i rywla nad oedd o wedi bod yno ers duw â ŵyr pa bryd. Cwcw-cwcw.

17

Rhwng fama a fancw

O lôn Harlech, troi i'r chwith yn Llandanwg a dringo'r allt am Gwm Bychan. Gyrrai'r BMW ar hyd y gwythi o lonydd culion. Nid oedd Dulyn wedi bod ar y Rhinogydd ers duw a ŵyr pa bryd. Un o ardaloedd mwyaf pellennig a diarffordd Cymru cofiodd i rywun ei ddweud. Hwyrach mai dyna oedd y rheswm am ei ddyfodiad y pnawn yma, yr angen am y diarffordd, yr o'r neilltu. Yr oedd yr enw 'rhinog' *(paid â sefyllian ar yr hiniog)* wedi ei gyfareddu erioed. Camu drosodd. Symud o un lle i le arall. Dyna oedd o'i angen bellach? Tybed? Oedi rhwng fama a fancw. Efallai. Fel pan oedd o'n blentyn os oedd rhywun wedi gwneud rhyw fistimanars – hogan wedi mynd i drwbwl, *pres wedi mynd o'r busnas medda nhw* – yr ateb oedd *mynd yn ddigon pell.* Roedd yna felly ryw wlad arall *yn ddigon pell* lle'r oedd iechyd i'w gael ac aur (*lle mae Periw, Mam?*) a phawb ar ben eu digon ac yn well. Dyna pam oedd o yma. A'r hen dynfa 'na yr oedd mynyddoedd erioed wedi ei chorddi ynddo. Tynfa at y peryglus. Ysgythredd. Dibyn. Agen. Hollt. Gwlybaniaeth. Y dan-draed soeglyd. Siâp creigiau fel petai nhw'n sgrechiadau wedi eu fferru yn galedwch. Roedd y dynfa, yr ysfa gêl, o'r golwg, dywyll, flysgar honno yn troi a throsi fwyfwy ynddo heddiw. Yn drech na'r awydd arall ynddo i droi'n ôl. Yn gryfach na'i awch i ffonio Elliw *ty'd am bryd i rwla bach distaw mi ga i Maud Morus i warchod Rhodri.* Yn gadarnach na'r moesoldeb twp i dderbyn pethau fel mae nhw. Twtio'r llanasd *drwy blygu i'r drefn.*

Felly ymlaen ag o! gan daflu goriadau'r car i'r awyr a'u dal drachefn. Rêl boi. Ond yr oedd hi'n ganol pnawn eisoes, petrusodd. Ond damia dim ond awran fyddai o oherwydd nad oedd ganddo mo'r dillad na'r sgidiau i fynd yn bell beth bynnag, i wagsymera hyd hen fynyddoedd gwirion. Tra ar y llyn am chwinciad ffrwydrodd pelydr o oleuni yn ffenasd dryloyw fel i'w gysuro, i'w gadarnhau yn ei benderfyniad i fynd ymlaen, rhyw hwb bach siŵr dduw. Ffenasd o oleuni, yno fel petai yn ei wahodd i hyrddio ei hun drwyddi nes cyrraedd y distawrwydd. Ond pwy oedd y *hi* yn y ffenasd – y *Dwy*, ia? Fel y *Dwy* yn *Dwy*for a *Dwy*fach a *Dwy*nwen, oherwydd ynddo teimlodd bellach y rhiniog rhwng dyhead ac arswyd fel y foment *ti'n cofio?* cyn cael rhyw am y tro cyntaf yng nghefn hen Austin A35 ei Dad a chariad yn tynnu ei fwgwd i ddangos masg chwant. *Watja di pennydreadfuls dy feddylia.* Aeth at ymyl y llyn a chodi carreg lefn a'i thaflu ar hytraws ar hyd wyneb y dŵr gan ei gweld yn sboncian . . . unwaith . . . ddwywaith . . . deirgwaith . . . *nefi sbiwch Mam chwe gwaith welsochi* . . . cyn diflannu i'r eigion – i dalu gwrogaeth? Dwysaodd y dynfa ynddo. Yn cynddeiriogi fel y cymylau dwfnlwyd oedd yn chwyrlïo uwch ei ben ond nad oedd o yn ymwybodol ohonynt. Pasiodd ei gar ar y ffordd yn ôl o'r llyn fel petai o'n gar i rywun arall. Rhywun nad oedd a wnelo fo ddim ag o. A chyrchodd am y mynydd, i fyny'r Roman Sdeps. Sylwodd o ar y gwahanol fathau o lwyd? Llwyd yr awyr ym madredd y cymylau. Llwyd craig mewn cysgod. Llwyd craig heb fod mewn cysgod. Llwyd trwm y clogwyni uchel. Llwyd tynerach – a oes modd cyplysu'r gair 'tyner' â'r lliw llwyd? Ta waeth! – llwyd tynerach godre'r mynydd. Llwyd agos y garreg wrth ei ymyl. Llwyd gwahanol y graig oedd yn gorwedd wrth ei droed. *Mae'r hogyn ma'n llwyd fel llymru*, clywodd ei Fam yn ei ddweud o gornel yr hesg oedd yn gogwyddo i un ochr oherwydd y gwynt oedd newydd godi. Ta *llwyd fel y galchen* ddywedodd hi? A chraig o'i flaen yn siâp *miss la la* yn hongian. A'r gwynt bellach yn dwrdio o bulpudau'r creigiau. Y creigiau oedd yn filwyr ystwyth yn rhuthro tuag ato. Nes ei amgylchynu. A'u bonllefau o'r agennau. A'u hacenion dieithr. Cododd ei ddwylo'n erbyn y gawod saethau. Nes oedd o'n socian. A gweryru'r gwynt. Yn garnau meirch hyd-ddo. Llithrodd allweddi'r BMW o'i law. Ond nid oedd o'n gwybod hynny. A llurig y niwl yn sleifio o'r mwrllwch. Nes trefnu gwarchae o'i gwmpas. Glas oedd lliw ei gar, triodd atgoffa ei hun. Gwasgodd y gwacter gwlyb yn ei ddwrn lle gwyddai yr oedd ei allweddi llymaid. I agor beth dybed? A'r geiriau dieithr yn rhincian ei ddannedd. Yn ddwndwr-dwr-dwr-dwr yn ei ben. Cofiodd yn sydyn bod y gair 'cnicht' yn dod o'r gair 'knight'. *Aryneigiaf* llusgodd o rywle. Wrth iddo syrthio'n bendramwnwgl. A'i Fam-mawn yn sgrechian *watja dy hun* wrth ei dynnu o ddibyn y pafin o lwybr car a sgrechian y brêcs yn glewtan i bwll mawn du fel tarmac ar y tarmac nes oedd ei geg o'n drachtio'r düwch. Llyncu du. A blas gwaed ar ei geg o wrth iddo godi'i hun i suddo'n ôl i'r gwlybaniaeth mewn gwely dieithr hen hotel rad yn lle-bynnag-oedd-o ym mhicelli'r glaw yn y trythyllwch ond tywyllwch oedd o'n 'i feddwl 'i ddeud tasa geiria'n pidio cambihafio wrth godi o'r mawn i mewn iddi hi'n hegar fel bod o isio brifo y bitsh ddiarth honno yn lle-'na-ydy-fan-hyn-yn-de *ffyci ffyci you like* meddai wrth anghofio ribidirês o enwau oedd yn amhosibl ynddo. A'r gwynt yn rhuthro si-so-marjyri-do meddai ynddo'i hun ar yr hiniog ei adenydd bach ac yn rhefru anwydog *three to one evens* hyd yn oed *percy's legs* neu *miranda's mirage* dau gi

121

bach a'r lleisiau fel llestri'n malu'n deilchion *o! y royal doltyn*
meddai ei Fam esgid be? ar bob troed! A'r glaw yn ei wyneb
fel disgyn ar weiren bigog y Telegraph torth ham o lle Ken
fedrwn ni ddim fforddio yn mynd i'r coed a'r scylla
wwwwwwww y gwynt a shrapnel y glaw safai yno fel
adfail charybdis *tomatos* mae'n ei weiddi ar ei ôl wysg eu
cefnau i'r llyn go to work on an egg a *chofia am y plant am dri*
she leaves you yeah yeah yeah you've put lipstick on my
cock *what will your missus say what will your missus say o!*
what will your missus say say say a'r creigiau a'r dreigiau a'r
sgrympiau elvira madigan ddim callach *madarch hefyd* a'r
gwynt yn gwneud sŵn fel chwifio bambŵ esdalwm rownd
a rownd *nic roeg nid groeg be haru ti a ma keaton yn well na*
chaplain sdido sdillo *the general beat takeshi* pam da chi'n
deud bod y gwynt yn dwrdio nothing becomes of for auld
iesu grist bach ma raid mi fynd go on un arall ta *what will*
your missus say fel tafodau megis o dân shw! shht! ffwcin
sbastic ydio rudolph the red no shht! shht! shht! fel gwynt
nerthol *makes me feel* bob cobbing *like custard* gkn - 8 ici + 6
bt – 12 mcalpine + 6 smithkleinbeecham? y beibil i blant
bach a mars a rolos a magog a'r gwynt 'dio ddim yn iawn
ma 'na rwbath o'i le arno fo a dwi'n slamio'r ffôn i lawr a
ma'r gwynt yn slamio'i hun yn erbyn y graig ddu bijt bitsh
bitsh bitsh bitsh bitsh does 'na ddim byd fel 'na yn 'y nheulu fi
mathemateg wyrdröedig y cromosomau mae gen i ofn chabrol
chablis shami leddyr yn gneud sŵn sy'n mynd drwydda
chi wrth wichian ar y glàs *binoche neu claire bloom as they*
turn the corner towards nes oedd y glaw yn ei geg a'r gwynt
yn ei geg *beechers brook sixty for a blow-job* a ni'n dau'n
pwsho'r tamad eisloli o geg i geg nes ei fod o wedi toddi'n
llwyr a'i gwefusau hi'n wanc i gyd nes oedd 'n gwefusau
ni'n felys oer nes oedd o'n rhynnu drosto nes nad oedd o'n
medru teimlo ei hun nes ei fod o'n holi oedd 'na rwbath yna

tu mewn i'r dillad soeglyd fuo 'na erioed tybed ond roedd rhywun yn dal i wneud yr holi yn y pellafion ond roedd ganddo fap yn y dashbord agorodd y mawn i chwilio a throed y düwch yn ei ddal o i lawr. Ar ei wegil. Ac yn ei wthio fo fwyfwy i'r llawr. Nes oedd o'n mygu. Dan y dillad lle'r oedd o'n cuddiad rhag y petha oedd yn chwyddo hyd barwydydd ei ystafell wely a'r papur papuro'n symud a chegau'r drorsys agored yn barod i'w larpio fo. Oherwydd yn fancw mi wyddai fod llyn y morynion yn sgleinio fel broitsh o'r cynfyd wedi dyfod i'r fei eto o'r llaid. A llifodd drwy'i grebwyll gysur o enwau *ikea pernod filofax packard bell ann summers apple mac big mac l'oréal bruschetta calvin klein cappuccino hugo boss simply crete gq easyjet club class club med broadband* na! doedd yna ddim byd wedi newid tystiodd llygad y llyn wrth i gysgod ledu drosto fel amrant yn cau a'r dŵr yn wincio. O hyd meddal ydy cnawd dynion. Y caerau oedd yn wahanol. Yr amddiffynfeydd. Yr arfbeisiau am feddalwch y cnawd. *A gymeri di yn wraig?* A'i ben yn erbyn pared y graig. A chodi ei hun â'i ewinedd. A'r gwlybaniaeth yn bais sidan rhyngddo â'r graig. A lapio'i freichiau amdano. Gan deimlo meddalwch ei chnawd y noson honno a diosg. A gwasgu â'i holl nerth egrwch yr ithfaen. Gan wthio ei law fesul dipyn. Nid oedd hi'n mennu dim fod ei law o'n llithro hyd ei chlun a thyndra ei chnawd hi'n deud *cei!* Nes sgriffio ei foch ar bigau mân cen y garreg. A dadfachu ei sgert. *Gwnaf* meddai hithau. *Gwnaf* meddai yntau. Nes cofleidio gwagle. A'r ymyl yn ei dywallt i nunlle. A thrwy liw inc dim byd llaw Rhodri'n ymestyn amdano. A'i law yntau yn methu codi i'w chyfarfod. *Hyn ydy marw? Mae popeth o 'nghwmpas i'n ansad.* Rhith ydy solatrwydd craig. Fe wyddai hynny o'i wersi gwyddoniaeth esdalwm. Fod popeth yn fwy o wacter nag o ddim arall. Y gwagleoedd rhwng yr atomau bythol aflonydd. Fanno tybed sy'n dal yr hyn a fu. Yn y gwacterau sydd ym mhobman drwy'r gwraig wlyddar o'i flaen roedd – na! mae! y mae! – mae doeau. A bod ei bresenoldeb o rŵan – y funud yma – yn sipian i mewn i'r gofodau a rhyw ddydd pan na fydd o a rhywun arall yn y storm y bydd i'r graig ymollwng o'i dim byd rhwng yr atomau ei waedd i glyw dieithr. *Mneme. Does yna ddim byd yn mynd ar goll* meddai o rywle pell ynddo'i hun. Y fo'i hun a fu yma o'r blaen ac a ddaw eto. A'i gorff yn gesair o boen. Nes. Nad. Nid-nad nid-nad nid-nad fel sŵn traed rhywun yn cerdded drwyddo. *Ma fo'n fan hyn!* meddai llais. A chwisel. A chyfarth. A chris-groesi goleuadau fflachlampau. Ac uwch ei ben sŵn llafnau hofrennydd yn pannu'r düwch.

'Deud wtha ti y bydda fo'n iawn, yn do'n,' meddai Elliw wrth Rhodri pan agorodd Dulyn ei lygaid yn y ward fechan yn yr ysbyty. A'r golau oren, pŵl yn dynerwch amdanyn nhw. A blip-blip glas y peiriant wrth ei ochr yn sôn am fywyd. Yn fywyd yn curo'n llednais ar ddrws bychan pwy oedd o yn gofyn gâi o ddod i mewn eto.

'Da chi'n iawn tydach, Dad?'

A'r dagrau'n llifo lawr gruddiau'r tri.

'Rhodri!' meddai Dulyn, 'ei di a fi i Rwsia i weld yr eicon 'na sy'n nhŷ Mr Ellis. I weld yr un go iawn. Yr un go iawn.'

18

Fel powlennaid o sego reis

Yn y drych edrychodd ar ei hwyneb, Elliw Vaughan. Ar ei hwyneb ddiwedd haf. Ddechrau hydref? Na! ddiwedd haf penderfynodd. Ambell flewyn gwyn yn ei gwallt. Ond byddai raid i chi edrych am gryn dipyn cyn canfod un. Ei chroen ddiwedd Awst pan fo'r haul yn dechrau colli ei nerth, y nosweithiau damaid yn oerach ac yn fyrrach, ei chroen yn llacach rownd ei gwddw ac ar gefnau ei dwylo, ei phen-ôl yn feddalach fymryn. Ond â'i chroen i gyd yn aur bron fel yr euro ar bob dim pan fo'r haul yn isel ar y gorwel. Rhyw wychder arwynebol ydy tlysni, y peth hwnnw sy'n perthyn i genod ifanc. Ond y mae ambell i wraig yn ei chanol oed yn cyrraedd prydferthwch. A rhywbeth sy'n tasgu o'r tu mewn iddi ydyw prydferthwch. Cyflwr. Yn pefrio yn llusern ei chorff. Roedd Elliw bedwar deg saith mlwydd oed yn brydferth. Ei chnawd fel lantern. Ei goleuni yn hollol oddi mewn.

Nid oedd yna unlle yn boddhau Dulyn yn fwy na'r gawod. Cau ei hun i mewn tu ôl i'r parwydydd plastig, mygliw oedd yn camffurfio pob siâp allanol. Gweill y dŵr poeth yn pigo'i groen yn bleserus. A'r stêm yn ei amgylchynu. Arhosai yno am hydion. Yn llonydd. A'i feddwl yn wag. Mond sŵn stillian y dŵr. Caeai ei lygaid. Roedd o fel petai o yn un â'r gwlybaniaeth cynnes. Wedyn seboni ei gorff. Y sebon weithiau'n sboncian o'i afael gan daro'r teils a llithro hyd lawr, fynta'n plygu i drio'i ddal, hwnnw'n troi fel top a'r dŵr yn chwalu hyd ei gefn. Y trochion o'i wallt yn clatjan ar y llawr porselen gwyn a throelli'n ewyn i'r gwter fach aliwminiym sgleiniog. Hwyrach fod yna rywbeth cyntefig, bruol am gael eich lapio gan ddŵr. Rhyw ddychwelyd. Cyn i chi ddarganfod y gwahaniaethau – *fi, chdi, chditha, nhwtha.* Wedyn gwthio'r botwm i atal y dŵr. Jyrc sydyn pen-y-gawod a'r dŵr yn peidio – felna! Agor y drysau. Sblash ei draed ar y linoliwm. Ôl ei fodiau ar y sgwâr bach o garped. Pob man yn socian ac yn diferyd. Caddug molchi'n hongian hyd y lle. Meddalwch y tywel anferth gwyn yn gorchuddio ei gnawd gwlyb. Rhwbio'r ager o'r drych â blaen ei fysedd fel dynwared ystum *ta-ta* a gweld ei wyneb yn dyfod i'r fei. Damaid wrth damaid. *Helo!*

Edrychodd Elliw drwy'r ffenestr ar y cymylau fel gwallt rhywun newydd ddeffro. Gollyngodd ei chorff dros ymyl y gadair esmwyth, ei choesau'n hongian yn llipa dros y fraich, ac ailgydiodd yn *Saturday*, un o'r llyfrau anfynych rheiny nad oedd hi eisiau iddo ddod i ben. Doedd hi ddim eisiau gollwng ei gafael ar hyfrydwch y brawddegau. Roedd hi wedi gwisgo iaith y nofel amdani ac nid oedd hi'n deisyfu noethni gorffen.

'Helo 'na!' clywodd ei lais.

Wpsadeisi, meddai wrthi ei hun, *oedd hyn yn beth doeth cytuno i fynd am bryd hefo minaps? Eiliad wan yn yr ysbyty dair wythnos yn ôl pan oedd emosiwn yn drech na chrebwyll.*

'Ti'n siŵr bod hyn yn iawn?'

'Wrth gwrs 'y mod i. *Change.*'

Change, gair oedd wedi tramwyo'r blynyddoedd o geg ei Mam sylweddolodd. Ac am ei fod o'n teimlo'n lletchwith cododd Dulyn y nofel o'i harffed.

'Ond dydd Gwener ydy hi heddiw!' meddai.

'Stick to your day job, Dulyn bach. Mae'r byd yn llawn o

gomidians a chocia ŵyn eisoes. Dwi'n mynd i neud 'n hun yn barod.'

Clywodd eto lais ei Mam yn ei geiriau hi ac aeth *i neud 'n hun yn barod.*

'Ti'n darllan lot?' meddai Dulyn wrth y lle gwag lle bu hi. Cododd un o'r nofelau o'r pentwr ar y bwrdd coffi, *O'r Sosban Fawr i'r Parlwr Du,* a darllenodd frawddeg yn uchel. '*Rargol! meddai Tobi Sdrellach pan welodd Stwmp Tin Plorod yn crogi oen bach gerfydd ei wddw ar weiren bigog. Be ma nhw'n ddeud am hon?* Y *Testun* chwedl nhwtha. *Na fu ei thebyg erioed o'r blaen yn yr iaith Gymraeg,* mwn. Faint o nofela sy 'na dŵa na fu eu tebyg yn yr iaith Gymraeg?'

'Mae hi'n wahanol dydi,' gwaeddodd Elliw. 'Chwa o awyr iach i ddeud y gwir. Nid copïo natur ddylai celfyddyd ond creu rhywbeth gwahanol allan o natur. Tynnu natur yn gria a'i rhoid hi'n ôl wrth ei gilydd mewn ffordd na fyddai natur fyth wedi ei ddychmygu. A tydi natur ddim yn berchen ar ddychymyg fel y gwyddost ti'n iawn.'

'O leia ti'n gwbod lle rwti hefo Dr Kate, Angharad, Eigra, Sonia a Manon.'

'A! dyna be ydy enwogrwydd yng Nghymru weldi – colli dy snâm fel Saunders a Gwynfor! Beth bynnag, dy daflyd di oddi ar dy echal ddylai celfyddyd ei wneud fel nad wyt ti yn gwbod lle rwti. A dy adael di i ffendio dy ffor yn ôl ond i le gwahanol, newydd. Te ddim?'

'Wrth ddarllan, be ydwi isio ydy rhiwin i ddisgrifio'n well nag erioed y teimladau rheiny yr ydwi wedi eu cael nhw o bryd i bryd ond na fedrai yn 'y myw ganfod y geiriau i'w lleoli nhw'n iawn. Cariad. Galar. Ofn. Marw. Hoelio'r teimladau hefo'r geiriau cysáct. Agor perfadd a'i ddangos o. A ma sgwennu'r merchaid yn gneud hynny'n well na sgwennu dynion. Ma 'na rwbath yn ymhonnus, ma 'mhidlan i yn fwy na dy bidlan di am sgwennu dynion yn Gymraeg.'

'Taw di â deud! Deud clwydda mewn ffordd ddiddorol ydy llenyddiaeth, ia ddim? Dim byd i'w gymryd mwy o ddifri na hynna.'

'Taswn i'n sgwennu llyfr mi faswn i isio llun gan Jack Vettriano ar y clawr,' meddai Dulyn yn sbio ar glawr y llyfr *Y Chwain*.

'Fydda fo'n rhoi ei ganiatâd, sgwn i?'

Gwelodd y nofel *Slebog* ar y bwrdd. Gallai daeru mai *Gobels* oedd ei theitl pan ddarllenodd o hi. Ond caeodd ei geg. Collwr sâl oedd Dulyn Pari.

'Tybed mai'r merchaid wyt ti'n 'u licio ac nid y sgwennu?' meddai Elliw yn dyfod i'r fei eilchwyl. A gwelodd Dulyn yn Elliw be welodd Elliw ynddi ei hun gynnau yn ei drych diwedd haf.

'Ti'n edrych yn neis!' meddai Dulyn.

O! ffwc meddai Elliw ynddi ei hun. 'Panad?' meddai'n uchel.

'Duw ia, cyn mynd.'

'Llefrith? Wedi ei ôl-strwythuro ta full-fat?'

'Un Pepco plîs! O'r plastig gora.'

'I lle da ni'n mynd, gyda llaw?'

* * *

Yn ôl Robert Carrier tri cwisîn gorau'r byd yw un Ffrainc, un Tsieina ac un Morocco. A myn dian i, mae'r tri ym Mlaenau Seiont bellach. Tec-awê Ong's; Pa Ris yr un Ffrensh (mond dwy seren gan golofnydd *Sbiwch!*) ar y llawr mezzanine yn yr oriel newydd – Kunst – yn y Doc a fan hyn lle'r eisteddai Dulyn Pari ac Elliw Vaughan – Y Fez 2 Fez.

'Yn ôl Robert Carrier,' meddai Dulyn, 'cwisîn Morocco ydy un o'r tri math gora'n y byd . . .'

'Hefo Ffrainc a Tsieina!' meddai Elliw. 'Be ga i dŵad?'

'Edrach yn ddilys. *Tajines. Couscous. Hummus.* Te mintys. Mi fuo fi yn Agadir.'

'Risôrt ydy fanno.'

'Ond mae o yn Morocco.'

'Fel y mae Rhyl yng Nghymru, ia? Mm! Sgwni fydd *tajines* rhein cystal â'r *tajines* fyddwn i yn eu cael yn Marrakesh.'

'Lle mae gardd Yves Saint Laurent.'

'W! There's a guide book coming on, ia.'

Ac mae hi'n wincio arno.

'Pryd fuos di yn Marrakesh?'

'O! flynyddoedd yn ôl pan o'n i'n sdiwdant ifanc yn dilyn ôl traed Matisse a finna'n ffan o Matisse . . . Ydy'r bricyll yn y *tajne* yma' – a phwyntiodd at y fwydlen i ddangos i'r weinyddes – 'yn ffresh?'

'Apricots ma hi'n feddwl, del,' meddai Dulyn yn helpu.

'Dwi'n gwbod!' meddai'r ferch. 'Ac ydyn! Mae nhw yn ffresh! Popeth yn ffresh!'

'Ydy'r *pastilla* ar gael?'

'Ydy!'

'Wel! *Pastilla* felly!'

'A chitha, Syr?' meddai'r weinyddes wrth Dulyn.

'Run peth!' meddai Dulyn.

'Ond rwbath i gychwyn?'

'Wrth gwrs!' meddai Elliw. 'Salad tomato. A dwi'n siŵr y cymrith *Syr* yn fan hyn yr un fath. Yn cymrwch, *Syr*?'

'Copi cat,' meddai Elliw wedi i'r weinyddes adael y bwrdd. Elliw, oedd yn dechrau mwynhau ei hun.

'Rhodri hefo Maud?'

'Mi fedri fentro! Chymith o neb arall sdi. Dipyn gwell sort, Maud, na'r tipyn gŵr na sgynni hi, y Sbei Morus 'na.'

'Ti ddim yn licio Sbei felly.'

'Dechra ffendio anifeiliaid ac adar wedi marw o gwmpas y rar. Fo sydd wrthi mi wranta.'

'Pam 'lly?'

'Rwbath â wnelo fo â Dwynwen i ti. Â'i marw hi.'

'Pawb yn galaru yn ei ffordd ei hun.'

'Pawb yn beio yn ei ffordd ei hun. Ond tydwi ddim isio cael gwarad arno fo. Oherwydd Rhodri a Maud yn benna.'

'Ac mi achubodd o Rhodri'n do!'

'Do! A chditha!'

'Wyt ti'n iawn rŵan?'

'Be ydy iawn, Elliw? Cyn i'r miri 'ma hefo Rhodri ddigwydd . . .'

'Y miri hefo Dulyn dwi'n 'i gofio . . . Be ddigwyddodd i ti, Dulyn?'

'Dwn 'im!' meddai'n llawn syfrdan. 'Dwn 'im!'

Ond yn ei grebwyll yr oedd atgof yn ei brocio a'i bryfocio. Atgof o adeg – un diwrnod penodol, gallai gofio'r diwrnod a'r flwyddyn – yr oedd o yn rhedeg hefo'i ffrindiau lawr y lôn o'i gartref, dros y bont, rhedeg a rhedeg, hyd at ymyl y cae, dringo i ben y clawdd, un o'r hogia'n codi'r weiren bigog rydlyd hefo'i fys a'i fawd, y gweddill ohonyn nhw yn gwyro o dani, un yn bachu ei siwmper cofiodd a pheth o'r edau glas yn glynyd yn un o'r pigau, y cwbl ohonyn nhw yn un giang, eu breichiau am ei gilydd, yn croesi'r cae a rhywle tua'r canol am ddim rheswm ac ar unwaith yn troi rownd gan edrych am yn ôl i'r un cyfeiriad a'r sylweddoliad er na ddywedodd neb ddim fod rhywbeth wedi mynd am byth, wedi eu gadael, wedi aros yr ochr arall i'r weiren bigog fyth i'w cyrraedd eto ac nad oedden nhw'n blant mwyach yn y lle hwnnw yn y cae rhwng cynt ac wedyn, rhwng fama a fancw. Roedd trothwy wedi ei groesi.

'Dwn 'im!' meddai Dulyn, 'ond cyn y miri 'na hefo fi ar

y mynydd mi es i i weld ryw ddyn Ellis . . .'

'Huan!'

'Arglwydd! Wyt titha'n nabod Huan Ellis fel roedd Dwynwen a'r wlad i gyd, mae'n amlwg . . . Oedd o'n 'i thrin hi, Elliw?'

'Bendith dduw, Dulyn! Therapydd ydy o.'

'A be ydy therapydd felly? Enw crand ar be?'

'Rhywun sydd hefo'r sgiliau i wrando.'

'Gwrando ydy gwrando! Dyna be mae cymdogion yn da.'

'Gwrando ar be wyt ti ddim yn ei ddeud, Dulyn. Gwrando ar dy ddistawrwydd di. Y gosteg rhwng y geiriau. Dirnad y sumtomau yn dy eirfa di. Gwrando i holi pam ddaru ti ddefnyddio'r gair yna yn lle'r un arall cyffelyb. Gwrando ar siâp llawn poen dy gorff di yn y gadair pan wyt ti'n malu cachu fod dy fywyd di i gyd yn grêt. Y math yna o wrando.'

'Mi fedar wal wrando.'

'Na! Dobio dy ben yn erbyn wal wyt ti. A bryd hynny yr wyt ti'n mynd i chwilio am therapydd.'

'A be oedd y wal lediodd chdi i freichiau y *marvellous Mr Ellis*?'

'O! creisis pob artist rywbryd neu'i gilydd sdi. Be wyt ti – rwbath go iawn ta rwbath ffals? Ffêc!'

'A be ddudodd Mr E wrtha ti?'

'Ddudodd o ddim byd, Dulyn. Dim ond dal drych er mwyn i mi gael gweld.'

'A be welis di yn y drych? Oedd o'n ddilys fel y bwyd lyfli 'ma? Miryr miryr on ddy wôl! . . . Sori! Sori!'

'Raid ti ddim. A ti'n iawn, mae'r bwyd 'ma'n ardderchog.'

'Gwranda! Ti'n artist . . .'

'Felly mae nhw'n deud . . .'

'Y mosêc 'ma. Ma nhw wedi gorffan y gwaith. Nos Ferchar ma 'na agoriad swyddogol. Riw sbîtj gan riw foi. Bwyd. Math yna o beth. Ddoi di hefo fi? Swn i yn gwerthfawrogi! Dwi ddim isio mynd fy hun. Ac ma raid i mi fynd. Ddoi di? Plîs!'

'Ocê! Pepco'n cael y go-ahead felly. Capitalism rules, ia? Capitalism sponsors the arts! Mi fydd gan bob un ohono ni artistiaid "Sponsored by" ar focha'n tina cyn bo hir . . .'

'Does 'na ddim byd o'i le ar gyfalafiaeth, yr hen genedlaetholwraig ddiawl i chdi! A sut mae'r Party of West Wales y dyddiau yma?'

'Yn newid!'

'Be? Fel newid gêr 'lly? I rifyrs. Rifyrsio o'r cul-de-sac mae'r Blaid wedi bod ynddo ers duw a ŵyr pa bryd bellach?'

'Arglwydd! Run lle â chi'r Toris felly.'

'O leia ti yn cydnabod y cul-de-sac cenedlaethol. Ond mae ganddo ni wynebau newydd fengach yn lle'r recycled has-beens fel chi. Gas gin i genedlaetholdeb! Ti'n gwbod hynny?'

'Swn i byth 'di gesho!'

'A ti'n gwbod pam?'

'Dwi'n glustia i gyd!'

'Oherwydd yr heresi sy'n mynnu nad wyt ti rywsut yn Gymro go iawn os nad wyt ti hefyd yn genedlaetholwr.'

'Ond o ddilyn dy wleidyddiaeth di, be fydd yna yn y man? Dim byd ond marinas a bratiaith a Pepcos ac enwau tlysion lleoedd na fydd neb toc yn medru eu hynganu nhw'n iawn oherwydd *I cwm from Boom-ing-ham in the Mead-lunds me-self but I lwv Abbasock.* Ac wrth gwrs pres! Pres sy'n lladd Cymru!'

'A be sy o'i le ar bres?'

'Ma 'na rwbath creiddiol am arian sy'n llwgwr.'

'Pam mae rhai yn cysylltu elw â'r hyn sy sala mewn pobol?'

'Profiad efallai!'

'Sgil-gynnyrch ydy elw. Yr hanfodol ydy annog pobol i sefyll ar eu traed eu hunain yn rhydd o ddandwn y wladwriaeth, galluogi darganfod potensial a chreadigrwydd yn hytrach na thanlinellu angen a hawliau. Torri pobol yn rhydd o sarhad budd-daliadau a dibyniaethau eraill sy'n eu caethiwo nhw gydol eu hoes.'

'Ond yn y weledigaeth yna, os gweledigaeth hefyd, does yna ddim lle i na gwendid na dioddefaint. Dim lle i'r llanasd yr yda ni weithiau – arglwydd! yn amal! – yn ei greu. Dalld hynny, Dulyn! Ac eironi pethau ydy mai o'r pethau yna – o'r tryblith – y mae'r gwir greadigol yn tarddu bob tro.'

'A! byd yr idiomau a'r diarhebion a'r epigramau. *Lle mae camp mae rhemp* a ballu, ia? Y gorsymyleiddio. Damcaniaethu. Eidioleg. Gosod pobl mewn bocsys os ydy nhw'n ffitio neu beidio. Sosialaeth henffasiwn y ganrif ddweutha a'i nychdod sy'n dal yn bolisi yn dy blaid di. Troi salwch a thlodi yn rhyw fath o rinweddau. Braint yr iach a'r da eu byd, rhyddfrydol, wrth gwrs. Rhyddid i bawb ydy canol cyfalafiaeth. Fod gan bawb gyfle i wella eu hunain os wyt ti'n fodlon gweithio'n galed, codi oddi ar dy din, styrio dy bils. Os oes gin ti'r awydd i newid yn hytrach nag ildio i ryw drefn, ryw ffawd ac aros yn llonydd hefo pobol lonydd a thagu mewn hunandosturi. Y cul-de-sac cenedlaethol fel dudis i. Yn syml, rhyddid yr unigolyn i gyrraedd ei lawn dwf.'

'*No such thing as society* i ddyfynnu un o dy bobol di.'

'Eidioleg Thatcheraidd hynna! Rhyddfrydiaeth y ddeunawfed ganrif fel mater o ffaith. Blip! Heresi! Mae hynny drosodd rŵan.'

'Arglwydd, mi losgith rei chdi yn dy blaid am ddeud hynna.'

'Mae 'na fwy yn ei ddeud o diolch i'r drefn oherwydd does 'na ddim eidioleg mewn gwir Dorïaeth.'

'A! *gwir* Dorïaeth. Gwir! yn erbyn y ffals. Eidioleg hynna!'

'Beth sy'n bosibl heddiw. Newid meddwl aml. *No fixed positions*. Beth yn ymarferol sy'n rhaid ei wneud rŵan. Ymyrryd yn yr economi os oes raid. Ond yn benna ymddiried mewn pobol mai nhw sy'n gwbod yn iawn nid y wladwriaeth. Amddiffyn y wlad rhag gelynion oddi allan a gelynion oddi mewn – dyna unig wir ddiben gwladwriaeth. Dyna ydy gwleidyddiaeth i'r Tori. Ac mae'n hen bryd i ni gael mwy o Gymry Cymraeg sydd hefyd yn Dorïaid.'

'Fel Caradog Prichard a John Eilian ti'n 'i feddwl?'

'Ond fyddi di weithiau, Elliw, yn cael plwc o hunan-amheuaeth ynglŷn â dy genedlaetholdeb?'

'Yn amal! Y syniad o Gymru sy'n fy nghadw fi i fynd, nid y rialiti ciami, tlodaidd, bradychus. A dwi'n gwbod ar brydiau hefyd fod Cymru'n rhy fach i achub neb ond yn hen ddigon mawr i'w caethiwo nhw. Ond Cymraes ydwi. Ac yn y pwy ydwi yna y mae'r frwydr yn digwydd.'

'Y frwydr?'

'Y frwydr barhaus o weithio allan be ydy bod yn fi. Ac yn y Gymraeg dwi'n gneud hynny. *Popeth yn Gymraeg* – ti'n cofio'r hen slogan o dy ddyddia coleg. A'r unig blaid wleidyddol erioed sydd wedi dangos i mi 'i bod hi'n caru ac yn gwarchod Cymreictod ydy Plaid Cymru er gwaethaf pob dim amdani.'

'Ew! Does 'na ddim byd fatha rhethreg i ddŵad â chdi allan o dwll yn nagoes!'

'Dulyn Pari! Pan dwi'n rhyw drio dy licio di ti'n deud

rhwbath sy'n gneud i mi droi 'nhrwyn arna ti fel petai ti'n bowlennaid o sego reis.'

'Ond ma sego'n neis, be haru ti! Yn enwedig hefo llwyad o jam ynddo fo. A ti 'di dechrau licio fi ymhell cyn heno.'

'A be amdana chdi? Oes gin ti unrhyw amheuaeth am dy Dorïaeth?'

'I ddeud y gwir . . . Nagoes!'

'Na chdi yli! Powlennaid o sego reis ac eidioleg! A be arall ydy eidioleg ond sicrwydd? Sut mae medru byw hefo ansicrwydd ydy'r frwydr i mi.'

'Un o berlau ceiniog a dima Mr Ellis hynna?'

'Naci! Blynyddoedd o edrych yn y drych, o frathu 'ngwefus, o grio, o ddyfalbarhau, Dulyn Pari. Dwi'n mynd i'r tŷ bach!'

Pan ddychwelodd sylwodd Dulyn ar y chwydd yn ei bag.

'Papur tŷ bach!' meddai Elliw. 'Bob tro fyddai'n dŵad i le fel hyn mi fyddai'n mynd ag un adra hefo fi. Enterprise yn dy iaith di.'

'Be ddigwyddodd i air henffasiwn fel dwyn?'

'O! wedi mynd ma'n siŵr i ti dros y gorwel hefo geiria henffasiwn erill fel cymuned, chwara teg, cyfiawnder, fod pobol bob amser yn bwysicach nag elw.'

'Bryd ni fynd dwi'n meddwl!'

'Well ni debyg! Chdi i dy dŷ dy hun a finna i fy lle inna!'

'Ond wrth gwrs! Be arall? Mi â i i dalu.'

'Wedi ei wneud! Cydwybod am y bog roll ma raid!'

A chlywodd Dulyn ei Fam yn ei ben, ei llaw ar ei war, yn dweud: *A be ti'n ddeud wrth y leidi?*

'Diolch!' meddai'n ufuddhau.

'Nos Fercher ta!' meddai Elliw.

19

Nid Methodus oedd y Bwda

– I –

Eisteddai Dulyn ac Elliw yn seddau'r gwahoddedigion.

'Sa law yni hi dwch?' meddai un o gynghorwyr Gwyrfai o'r tu ôl iddynt.

'Ti'n gwbod be tisio i fod yn gynghorydd sirol?' sibrydodd Dulyn wrth Elliw.

'Nacdw! Ond dwi ar fin cael gwbod!'

'Tin anfarth i ista arni!'

'Made it, Dailing!' gwaeddodd rhywun i gyfeiriad Dulyn.

'OK there Bernie!' atebodd Dulyn ef. 'Chief Exec Pepco. Mynd i ga'l yr hîf-hô medda nhw yn y shareholders nesa.'

'Pam sa ti'n deud wthai mai 'Dailing' oedd dy enw iawn di, darling.'

'Ar ran Cwmni Pepco, Archaeoleg Cymru a'r Cyngor . . .'

'Pwy 'dy hwn?' holodd Elliw.

'Cadeirydd y Cyngor. Sbia ar 'i djaen o.'

'. . . fy mhleser i ydy gwahodd y Dr Cephas King i'ch annerch chi.'

'Pam sa ti'n deud bod Cephas yma?' meddai Elliw rhwng ei dannedd, ei phen i lawr.

'Arglwydd! Pwdio? An ageing Cary Grant lookalike.'

'Y Dr King! Rhowch groeso!' meddai'r dyn o'r llwyfan a'r curo dwylo'n amrywio o'r academaidd sidêt i'r llugoer i glapio ffarmwrs.

'Pleser!' dechreuodd y Dr Cephas King. 'Pleser mawr hefyd yw cael bod gyda chwi y prynhawn yma ar achlysur mor bwysig i ni fel cenedl. Pwysig yn hanesyddol. Pwysig yn gelfyddydol. Pwysig i'n hunanddealltwriaeth ni.'

'Mi fydd Bernie'n lost,' meddai Dulyn yng nghlust Elliw.

'Ma' 'na gyfieithydd y lembo. Ti ddim 'di sylweddoli bellach dy fod ti mewn gwlad bile-ing-giwal?'

'Y mosäig! I'r rhai ohonoch chwi nad ydynt hyd eto wedi cael y pleser o'i weld fe'i disgrifiaf ef i chwi. Mosäig llawr – *Opus tessellatum* – o'r cyfnod ôl-Rufeinig. O un ochr saith gwraig yn diflannu i lyn. Ac o'r ochr arall yn codi o'r llyn gwraig yn cario baban. Gwraig fron-noeth a glesni ei gwisg hyd at ei gwasg yn un â dŵr y llyn ond yn ymrithio o ddŵr y llyn. Y mae'r gwaith *tesserae* yn anhygoel. Y lliwiau hyd yn oed heddiw yn pefrio. Fe welwch chwi yn y ffurfafen ar yr ochr chwith fel yr ydych chi'n edrych ar y mosäig dylluanod yn hedfan i'r ochr dde, eu hwynebau llawn yn edrych i'ch cyfeiriad. Yn dod i gyfarfod â hwy o'r ochr dde y mae colomennod, fel rhyw Battle of Britain cyntefig! (Pwl o chwerthin diniwed. *Batyl o Bruten!* medda un o'r Cynghorwyr yn porthi.) Ond craffwch yn fanylach ac fe welwch chi fod y colomennod tua'r canol yn ymrithio'n dylluanod a'r un peth gyda'r tylluanod yr ochr draw, hwynt hwy yn troi'n golomennod. Beth yw arwyddocâd hynny debygwch chwi? Mae'r fytholeg yn astrus ond yn gyfarwydd i'r sawl a ŵyr. (*Ac mi wt ti yn gwbod mêt*, meddai Dulyn.) Heb os dyma Bedwaredd Gainc y Mabinogi a ninnau, wrth gwrs, yn nhiriogaeth y Bedwaredd Gainc (*O! Iesu na! Hegemoni Gwyrfai eto! Mi fydd y cownsylyrs wrth 'u bodda*, sibrydodd Dulyn efallai yn rhy uchel. *Taw!* meddai Elliw a'i phenelin yn ei asennau.) Ond dyma hefyd fyd Cristionogaeth Efengyl Luc a'r Eglwys Geltaidd Fore. Y morynion wrth gwrs yn diflannu i Lyn y Morynion ond hefyd y saith morwyn ffôl a'r saith morwyn gall yn Luc. A Blodeuwedd hithau a drodd drwy ystryw Gwydion yn dylluan. (*O wraig ddrwg!* Tro Elliw oedd hi tro 'ma). A'r golomen yn ddelwedd o'r Ysbryd Glân. Ond beth am y wraig sy'n ymrithio o'r dyfroedd? Y wraig fron-noeth gyda'r baban. Y Forwyn Fair a'r Baban Iesu? Y *Vergine con Bambino*. Ond tybed? Craffwch yn ofalus ar ei llygaid ac fe welwch mai llygaid y gwdihŵ sydd iddi. A'r bronnau trymion, bronnau rhoi sugn yw'r rhain. (*Nabod 'i fronna'r boi 'ma*, sibrydodd Dulyn wrth Elliw.) Awgrymaf i chi mai – ie! – Blodeuwedd wedi ei gweddnewidio (*gweddniweidio*, ebe Elliw) gan Gristionogaeth sydd yma ond hefyd Modron, y Fam Fawr, a chofiwch nad ydym ni nepell o Drawsfynydd a'i heglwys sydd wedi ei chysegru i'r Santes Fadryn. Madryn – Modron! A draw acw mae Garn Fadryn fel y gwyddoch. A'r dŵr? Dŵr y bedydd? Wrth gwrs! Ond hefyd le'r dduwies. *Dwy* fel yn *Dwy*for neu *Dwy*gyfylchi. (Cofiodd Dulyn am Sais yn trio deud *Dwy*gyfylchi unwaith. *Duggie Fucky*, meddai.) Maentumiaf! Maentumiaf fod yna rywbeth enfawr yn cael ei bortreadu yma. Nid yr hen grefydd Geltaidd yn ildio i'r grefydd newydd. Ond cydasiad. Rhywbeth nad ydym wedi ei werthfawrogi'n llawn. Ddim wedi bod yn ymwybodol ohono hyd yn oed. Sef yw hwnnw, nid un grefydd yn cymryd un arall drosodd ond cydgyfarfod. Dyna pam mae'r tylluanod yn troi'n golomennod a'r colomennod yn troi'n dylluanod. Nid y Forwyn Fair, ond y Fodron Fair. A'r plentyn? Iesu? Wrth gwrs! Ond hefyd y natur ddynol – ni, foneddigion a boneddigesau – yn ein holl agweddau, yn ddaioni ac yn ddinistr, yn lleufer ac yn dduwch, y tywyll-huan. A'r siâp: siâp y mosäig! Siâp cwpan? Siâp y Greal? Purion! Ond hefyd siâp crochan. Siâp pair. Pair fel Pair y Dadeni *a'r* Atgyfodiad Cristionogol. Y ddeubeth. Nid un grefydd yn goresgyn y llall meddai'r *tesellarius* a'i gomisiynydd cefnog ond y llinyn arian sy'n rhedeg drwy grefyddau i gyd. Dyma le cytgord. Mangre harmoni a chynghanedd. Cofiwch fod ysbrydoledd yn hŷn na Christionogaeth. Nid Methodus oedd y Bwda! (Pwl o chwerthin.) Ac wedi Naw Unarddeg onid oes gan wneuthurwr y mosäig anhygoel hwn rywbeth hanfodol i'w ddweud wrthym ni dros rychwant y canrifoedd? Diolch yn fawr!'

A dechreuodd eilchwyl y curo dwylo academaidd sidêt, y llugoer a'r clapio ffarmwrs.

'Dalld ffyc ôl ar hynna, y cownsylyrs,' oedd barn Dulyn. ''Na nhw'n mynd i chwilio am y bwyd yli! Catch you later Bernie!'

'Oes 'na fwyd?' meddai Elliw.

'Nid y chdi o bawb! *Et tu* . . .'

'Dwi jysd â sdarfio.'

'Gwrando ar y dyn 'na 'di codi chwant arna chdi ma raid.'

''Im 'di byta drw dydd. Oes na fwyd?'

'Ddudisi wrtha ti! Drwy haelioni Pepco!'

'Ty'd! Pepco mayonnaise! Wth 'y modd hefo fo.'

'Ond sgin ti ddim isio gweld y mosêc?'

'Wedyn! Fedri di ddim gweld ar sdumog wag sdi!'

'Sbred dda, Mr Pari!' meddai'r Cynghorydd Tegfryn 'Marinas' Huws wrth basio a'i blât o'n llawn yn barod.

'Oes!' meddai Dulyn. 'Cofiwch mai Pepco rôth o.'

'Corruption by prawns, ia?' meddai Elliw.

'IQ letusan. A siarad drwy'i din fel y resd ohonyn nhw.'

'Ond withia ar yr adeg iawn siarad hefo dy geg di ia?'

'Siarad drwy'n walat i, cyw! Fentrilocwist papur igian ydy hwnna.'

'Elliw fach!' meddai llais o'i hôl. 'Sut ydych chi?'

'Dwi'n dda, Cephas. Dwi'n dda,' meddai.

Nid oedd Dulyn erioed wedi ei gweld mor anniddig o'r blaen.

'A'ch ffrind?'

'O! Dulyn! Dulyn Pari. Perchennog . . .'

'Perchennog! Perchennog beth, Elliw? Nid y chi gobeithio!'

'Y mosêc!' meddai Dulyn.

'Does neb berchen y mosäig, Mr Pari! Y safle debyg, ife?'

'Dwi'n 'i warchod o fel 'tai ar ran Cwmni Pepco.'

'Ac mae nhw'n adeiladu canolfan barhaol yma dwi ar ddeall.'

'Mae nhw'n hael!'

'Mae nhw'n farus!'

'Ydy nhw wedi cael y caniatâd angenrheidiol wyddoch chi, Dr King?'

'A! Dyn busnes! Gaf i air bach gyda chi, Elliw? Yn breifat!'

A gosododd ei hun rhwng Elliw a Dulyn gan ddodi cledr ei law ar ei phenelin a'i gwthio'n dyner i breifatrwydd y cysgodion.

'Pidiwch â'i chadw hi'n rhy hir. Ma hi jysd â sdarfio!' meddai Dulyn ar eu holau. 'Catch you by the nosh, Bernie.'

Ac aeth i gyfeiriad y babell fwyd lle'r oedd y byrddau yn fosäig o frechdanau Pepco, dail salad Pepco, cyw iâr Pepco, caws Pepco, bara Pepco, gatos Pepco, sudd a gwinoedd Pepco. Ac os oedda chi isio fo, te. Pepco? Wrth gwrs!

'When's the shareholders, Bernie?'

'Shut it, Dailing! Jesus! Mate, could not believe it about your missus and kids. Ja'get the flowers?'

'It was donations, Bernie.'

'That's what I mean, the donation.'

'Yeah I did. Thanks! Rumour has it you'll get a K in the Birthday Honours.'

'Never believe the rumours, Dailing! But if I do, 'er indoors will become Lady Penelope. Honest to god! Lady Penelope! My Penny! Honest to god!'

'Hei! Marinas! Dowch yma am funud, dwi isio chi gwarfod rhywun. A mate of mine, Bernie.'

* * *

'Be oedd gynno fo isio?' meddai Dulyn pan ddaeth Elliw yn ôl.

Elliw! Beth yda chi'n ei wneud â'r dyn Pari yna? Ontropynyr! Gall dyn fel yna sugno'r maeth o'ch creadigrwydd chi. Nid yw e wedi bod o unrhyw gymorth â'r mosäig. Hindrance, i ddweud y lleiaf. Fo a'r Pepco yna. Hindrance. Mi ges i eu hanes nhw y prynhawn yma. A fedrwn i ddim coelio bod eich enw chi ar restr ei wahoddedigion o.

Ond does yna ddim perthynas rhyngddo ni!

Nagoes yna? holodd yn amheus gan roi ei fraich am ei chanol.

Nagoes, Cephas! meddai'n ymddihatru.

Ond chi oedd y sdiwdant gorau a gefais i erioed! meddai'n rhoi ei fraich yn ôl.

Ac mi lwyddais heb na chymorth na neb na dim, meddai yn ymddihatru eto, *bryd hynny a rŵan.*

Gwir! Gwir! Ond cofiwch Elliw fod sawl artist wedi ei ddryllio ar einion beirniad.

Mae hi'n oeri, meddai.

Mae hynny'n amlwg, meddai'n ôl. *Ond mae gen i hiraeth am wres sdiwdants. Yn enwedig un. Ontropynyr yw e, Elliw!*

A dywedodd y gair 'ontropynyr' fel y byddai'n dweud yr enw Toulouse-Lautrec ersdalwm – gyda'r pwyslais ar yr un acenion. A cherddodd Elliw i ffwrdd.

Rydw i wedi ysgrifennu erthygl ar eich gwaith i'r Gomerian, gwaeddodd ar ei hôl. *Mae o'n feirniadol hael. Tro 'ma!*

'Although not a painter of realism her brushstroke is full of narration – exclamation, scream, laughter, pain, solitude, love, lust, loss. She paints our emotional anatomy.'

ac

'I remember her as an impressionable student of mine . . .' *impressionable* – fel y cwyr meddal yn derbyn delw'r geiniog, ia?

eiddigedd y *mine*

a'r *remember*

beth oedd o'n ei gofio?
beth oedd hi'n dewis ei anghofio?
yn anatomi eu hemosiynau.

'She paints our summers and our winters. But more importantly our in-between states: our chills and our brief awakenings. She follows the contours of our landscape with the integrity of great art.'

'Deud wrthai am gadw'n annibyniaeth! Dyna be oedd gynno fo isio! Ei di â fi adra plîs?'

'Ond o'n i'n meddwl dy fod ti isio bwyd!'

'Ma gin i fy mwyd fy hun diolch! Anghofia fo! Dwi am gerdded adra!'

'Cerddad?'

'Ia! Rhoid un goes o flaen y llall. Dyna be ydy cerddad.'

'Ond o fama!'

'I lawr y cwm. A wedyn mi ga i fws. Neu westy am y noson.'

'Elliw!'

'Gad mi fod, Dulyn! Gad mi fod.'

A dechreuodd gerdded. O'i blaen mi roedd yr haul yn goch. Coch fel ffrog *May Belfort*.

Ar hyd y lôn edrychai Elliw ar fosäig ei meddyliau. Hwythau heno yn cael gweld golau dydd.

Y noson honno yr aeth hi i draeth y Foryd i feddwl, i siffrwd y ffeithiau, i droi hen gerrig drosodd yn ei chof lle'r oedd pob mathau o bryfetach yn stwyrian, yn gwingo drwy'i gilydd ac ar sdêm y gwydr â'i bys dyma hi'n mynd â *llinell am dro*, chwedl Klee, ac yn y glas clir roedd dwy lygad yn sbio arni. *Fel dwy lygad angel*, meddyliodd ar y pryd. Ar ddiwrnod arall byddai hi wedi gweiddi *Pyrfat!* neu *fel hyn ti'n cael min* neu ddeud dim, dim ond agor drws y car yn hegar a'i daro yn ei wendid. Ond y noson honno angel oedd hi ei eisiau ac felly angel a gafodd.

'Yda chi'n iawn?' clywodd ei lais o du ôl i'r gwydr. Llais y Gabriel hwnnw.

'Dwi'n bell o fod yn iawn,' meddai hi'n ôl.

Agorodd yntau ddrws y car.

'Rhowch nhw i mi,' meddai Uriel. Heb na ffỳs na phrotest rhoddodd hithau'r tabledi iddo.

'Dwi'n wrandawr da,' meddai Raffael. 'Ond i mi esbonio! Dwi'n siŵr 'ch bod chi'n meddwl ei fod o'n beth od fod dyn fel fi yn crwydro'r lan môr fel hyn yn hwyr yn y nos. Ond dod yma i ddychmygu Caer Arianrhod ydwi. Allan yn fancw rwla yn y môr. A Gwydion a Lleu fel y cryddion o Gordoba. Fan hyn os liciwch chi ydy fy Ngorsedd Arberth i, y lle rhwng y rhyfeddod a'r archoll.'

A gwyrodd ei phen ar ysgwydd yr hen fochyn budr a wylodd o grombil pwy oedd hi.

'Miss Vaughan bach, da chi'n un o'n artistiaid pennaf ni,' meddai Asasel.

'Ffêc ydwi!' meddai hithau mewn gosteg rhwng ei dagrau. 'Ffêc!'

Ymlaen â hi ar hyd y lôn. Mi ddylsa 'i bod hi wedi dŵad â chôt. Mae hi'n dechrau gafael. Rhwbiodd ei breichiau. Y rhwbio yn dŵad â phethau eraill i'r fei. Fel lamp Aladin.

Hithau'n pwytho botwm ar ei blows a Renatta nad oedd hi wedi ei gweld ers dyddiau coleg (*Dwi'n bwriadu aros yn yr ardal a meddwl y byddwn i'n galw ar yr artist enwog oedd hefo fi'n coleg un tro* a hithau yn ei byrbwylledd arferol yn dweud ar y ffôn *ty'd i aros hefo fi, bwrw'r Sul hefo'n gilydd*) yn penlinio tu ôl iddi. A'r munud nesaf ei gên yn gorwedd ar ei hysgwydd. Eu gwalltiau'n cyffwrdd. Hithau'n rhoi ei gwnïo o'r neilltu. Y ddwy'n llonydd yn pwyso i'w gilydd. Â'i llaw mwythodd Renatta ei boch. Llithrodd ei bys ar hyd ei gwefus. Gwthiodd ei gwefus fymryn am i lawr nes iro'i bys â'i phoer. Roedd Elliw yn feddal lonydd. *Mwynhau?* Doedd hi erioed wedi caru hefo dynes o'r blaen. Yr hyn oedd yn ei rhyfeddu yr eiliad honno a'i chefn at Renatta oedd pa mor naturiol oedd o – dyma oedd hi isio. Mor gydradd rywsut. Heb y patrwm gorchfygu ac ildio, y gêm pwy-fydd-yn-cyffwrdd-be-gynta-feiddiai-gai-sgwni yr oedd y chwarae mig cyn rhyw â dynion bob amser yn dŵad â hi i'r amlwg. A bys gwlyddar Renatta yn llithro i'r agen rhwng ei bronnau. Toc yn y düwch, y düwch oedd rhywsut fel goleuni, byddai bysedd adenydd pili-pala Renatta rhwng ei chluniau. Ei chlitoris yn gwlwm bychan o gnawd a'i bysedd fel petai yn ceisio ei ddatod, datod fel y mae rhywun yn cymryd gofal wrth agor anrheg gan gariad. A'i thafod hithau'n gwahanu'r cnawd cnotiog hallt. Yn mordeithio drwy'r storm oedd yn codi o'i chnawd â rhwyf fechan ei thafod. A chwerthin ben bora'r ddwy wrth i Renatta ddisgrifio *dy flew di fel siâp Affrica dydi*. A brad y bitsh fel petai hi wedi cadw'r cwestiwn ar hyd y blynyddoedd fel ffiol o wenwyn tan rŵan a'i dywallt drosti *oedd o'n wir fod Cephas King yn dy ffwcio di?*

Yn y pellter gallai weld y gorwel a'r haul yn chwydd arno fel geneth ieuanc feichiog yn gorwedd ar ei gwely yn pendroni yn holi beth oedd hi am ei wneud ei gadw ta cael gwared ohono ohoni a byw hefo distawrwydd cyfrinach distawrwydd llethol y ceudod yn ei bru *gadwch o i fi Elliw fach shht! cariad fe eill hyn fod y gwahaniaeth rhwng dosbarth cyntaf a be ddywedwn i dau-dau* a'r holl enwau rheiny *pan gei di fabi pan ti'n fawr be neidi alw fo? Sianeurliwtomosifanbethangwydioneurgaingwionjac* yn troelli'n llanasd blêr lawr pan toilet a'r haul yn chwalu'n lliwiau dros ymyl y gorwel lliwiau gwaed yn stillio lawr coesau sdiwdant lliwiau dwfngoch brych *shht cariad shht beth am drip bach i Morocco ar ôl hyn i gyd i ddilyn ôl traed Matisse a chithau'n ffan o Matisse.*

Toc fe gyfyd y lleuad. Yn llawn fel petai hi'n feichiog hefo goleuni. O had yr haul.

Guy yw ei chelwydd heddiw. *I could be your English Guy as well as your picture framer* a ffrâm ei gorff yn ei gorchuddio *my picture my little Welsh landscape.* Guy sydd un waith y mis yn ei throi hi drosodd ar gledr ei law fel petai hi ar ryw echel anweledig, echel o sidan, a mynd yn ôl i mewn iddi o'r cefn. Cledr ei law arall yn ysgafn o dan ei bron, wedyn ei thylino, wedyn â'i fys a'i fawd tynnu ar ei theth *you like that I can tell.* Llithro ohoni a'i throi ar ei chefn eto gan benlinio o'i blaen, codi ei dwy goes a gosod ei dwy sawdl yn erbyn ei ysgwyddau ac â'i law arwain ei hun yn ôl. Hithau'n codi a gollwng ei phen-ôl i rythm ei wthio. A chorff noeth Guy heblaw am ei fodrwy briodas *I can take it off if you like* yn ystumiau iraidd, gwialen ystwyth ei gorff a'i chwys yn gwneud i'w groen sgleinio a'i riddfan ac mae o'n tynnu ei hun ohoni am fis arall gan wyro drosti *I can't stay* a rhoi sws ar ei thalcen. Mae'n teimlo hylif Guy yn llifo ohoni fel sbâr dŵr golchi yn troelli i lawr sinc. *I'll see you petal – etal. Is that ok?* Mm-hm, mae hi'n ei ddeud. *Do you want anything?* mae o'n holi. What could I possibly want? meddai hithau. *I don't know. I only thought,* meddai yntau. *The room's booked till eleven tomorrow morning.* I'll see, meddai hithau. I might stay. *Sorry I can't come back,* meddai o. Mm-hm, meddai hithau. I know what the deal is. The world is full of guys and you're my special Guy. You're my Guy Fucks. *Don't say that,* meddai, *you know I don't like it. Makes me feel . . .* Feel what? meddai hithau. *Just . . .,* meddai yntau. I like playing with your name like John of Gaunt played with his. *What?* Nothing. Because that's what Cordelia said. *I don't get you sometimes.* You always get me. That's the deal. *Bye, then,* meddai. Bye, meddai hithau. Ac fe glyw ddrws yr ystafell yn cau'n dawel fel swn naid cath i ben bwrdd. A hithau'n llonydd yn fanno mewn hotel yn Birmingham. Llonydd tan oriau mân y bore. A gadael bryd hynny i wacter y stryd. I'w char oer. Yn ôl i Gymru.

Edrychodd ar y sêr. Sbarcs di-hid y sêr. Fel petai rhywun wedi lluchio sdwmp sigarét yn ddi-hid allan drwy ffenasd car a'r gwreichion yn tasgu i bobman wrth daro'r tarmac du. Pwy wrth basio ar wib pan nad oedd amser, meddyliodd Elliw, oedd wedi taflu ei ddihidrwydd am allan ac yn y broses ddamweiniol greu bydysawd hollol ddi-hid?

Canodd Dulyn gorn y car. 'Your knight in shining armour!' meddai drwy'r ffenestr agored.

'Dwi'n trio dengid rhag ystrydebau,' meddai Elliw yn camu i'r car.

'Ac wedi llwyddo?'

'Dwi'n teimlo fel un ystrydeb anferth heno.'

'Na! Nid ychdi!'

'Ia! Fi! Ia!'

''Na i ddim gofyn mwy.'

'Sa ti ddim yn cael gwbod beth bynnag.'

A llithrodd y ddau i dawelwch.

Yn sydyn, 'Sdopia!' gwaeddodd Elliw. Llywiodd Dulyn y car i'r ochr.

'Ty'd allan!' meddai hi, 'Ty'd!'

Llusgodd o gerfydd ei law at y clawdd.

'Drycha!' medda hi.

A dangosodd iddo y lleuad lawn yn hongian fel botwm gloyw ar edau llac y brigau duon.

'Be sy o boptu i ni, Dulyn?' holodd yn daer, 'Gwacter? Gwacter fel y lle rhwng dau air, fel y gofod mewn bru, fel y gynfas wen o 'mlaen i weithiau, fel y distawrwydd rhwng dau, creadigrwydd gwacter. Ynteu ceudwll? Fel y gwagle mewn bedd, mewn murddun, mewn penglog, mewn cadair wag, fel ar ôl chwalu tŷ, fel mewn croth wedi ei ransacio, fel mewn llofft wely mewn hen hotel wag yn Birmingham. Prun o'r ddau sydd yna? Gwacter ta ceudwll? Yn ein hamgylchynu ni. Prun?'

'Be mae dy galon di yn ei ddweud wrtha ti, Elliw?' gofynnodd Dulyn iddi fel petai yntau hefyd wedi cael hyd i'r un cwestiwn. 'Prun? Be mae dy galon di yn ei ddweud.'

'Y ddau. Mae hi'n edliw y ddau. Dyna'r drwg.'

Gosododd Dulyn ei law ar ei hysgwydd.

'Paid ti â chymryd mantais ohonoi!' meddai'n ysgubo ei law i ffwrdd. 'Paid ti â meiddio! A finna'n noethlymun fel hyn o dy flaen di. Rŵan cer â fi adra.'

Hi! Petal-etal it's your English Guy. Can't make it next week I'm afraid. As a matter of fact can't make it ever again. Bye! meddai'r geiriau electronig wrth ei pheiriant ateb yn ei thŷ gwag.

20

A History of World Religions

'Be ma hogyn Cymraeg yn gneud yn Mwslim?' meddai'r plismon oedd â'i gefn at y silff ben tân yn sefyll yno rhwng Twr Eiffl plastig a Thwr Blacpwl plastig.

'Be wyt ti felly?' holodd Sab Ong. 'Methodus?'

'Be very careful!' atebodd. 'Madam,' ychwanegodd.

'We're done,' meddai'r swyddog yn ei ddillad ei hun, ifanc, hynod fynwesol ond â'i lygaid o'n llawn oerni, *cold eyes*, teimlodd Sab. 'We're going to take this, Mrs Ong.'

A dangosodd lyfr bychan iddi.

'But you can't, he's only just given it to me.'

'Really! That's interesting. And this. We'll take this too.'

Llyfr yn dwyn y teitl *A History of World Religions*.

'But that's only one of his school books. It's old.'

'Really. Was he always interested in other religions?'

'Why do you think all Muslims are terrorists?' dyfynnodd Sab.

'We don't.'

'What happens to him now?'

'He'll continue to help us with our enquiries.'

'You won't hurt him, will you?'

'This is the United Kingdom not some . . .' A daeth Dulyn i mewn. (*Plîs come Dul ma polîs yma* oedd y neges frysiog dderbyniodd o yn ei swyddfa.)

'And you are?' meddai'r swyddog â'i law yn dyner ar ei ysgwydd ac yn ei rwystro rhag mynd ddim pellach.

'My friend,' meddai Sab.

'One question, Mrs Ong,' a'i law yn dal yn fynwesol awdurdodol ar ysgwydd Dulyn. 'Did the late Mr Ong have any Islamic connections?'

'No! He was nothing. He didn't have a religion. Like most other Welsh people by now.'

'We'll go, Mrs Ong. Thank you for your co-operation and patience. It has made things much easier. We'll take the books. They will be returned to you. Sir!'

'Ti nabod Mwslim, Dulyn? Do you know one?' holodd Sab a'i llygaid yn llawn penbleth.

'Arglwydd nadw, ond am be ma hyn i gyd, Sab?'

'Sammy 'dyo. Ma nhw wedi resdio fo. Read this.'

A thynnodd lythyr o lawes ei thracswt.

'Chutho nw mo hwnna. No way.' Darllenodd Dulyn bytiau.

'. . . I am trying to learn Arabic. It is quite difficult. But I'm managing. It is so beautiful when you hear it spoken. It is somewhere between speaking and singing. And to see it written down, the calligraphy, is even more beautiful. The letters move like the patterns of light on water. I am sending you this little book. You won't understand it but it doesn't matter. It is a few verses from the Qur'an. But isn't it beautiful? I am sending it to you because of its beauty. Like you are beautiful, Mam . . .

'. . . My world has only just begun, Mam. Reciting the *Shahadah* is only the beginning. It is like as if I have opened a door and I'm looking in on this room full of wonderful and strange things. I am in awe on the threshold. The whole Western world is spiritually and morally bankrupt. All they have left are their bullyboy tactics and a silly belief in their own superiority over everyone else. They can only sustain themselves by creating a climate of fear in ordinary people like you using their newspapers which you read and television which you watch. *Look!* they say, *there's an enemy there. And there. And he's an enemy because we tell you he's an enemy . . .*

'. . . Everyone thinks Muslims are terrorists. Like they used to think in the past that all Irish people carried a bomb. Why do we need to make enemies all the time? As if our identity somehow depended on having an enemy out there? . . .

'. . . I have discovered a beautiful place to be in. I feel so close to Dad – his other culture which he never spoke about. Why was that? . . .

'. . . I have changed my name not to disparage you nor Dad but because what I am now living is so new and deep that I need to name that differently . . .

. . . I am so happy, Mam . . .

All my love to you, Isa Hasan Ali.'

'Pynishment ydy hyn, Dulyn. That's what it is . . .'

'Pynishment am be?'

'Am be neshi! Un tro. Once. Parti shop. One Crusmys. With the manager – he's left now – got in a corner. Too much drink, Dul bach. Mwy o fumble na dim byd. Little bit more maybe. A dwi 'di bod yn guilty byth es hynny. Ever since. But it wasn't the sex, Dul. It was what I said. *Ma hi'n braf bod hefo dyn normal.* That's what I said. Meaning not Chinese. But British White fel ma nhw'n gofyn i chdi be wt ti ar y passport forms. That's what I can't get out of my mind. Hynny sy'n lladd, Dul. Hynny I can't forgive myself. And now Sammy's being pynishd for it.'

Os oedd Dulyn yn casáu unrhyw beth yna ofergoel y werin oedd hwnnw. Yr ofergoeliaeth oedd yn dirnad bywyd fel sustem o gosbau a gwobrau. *Mi ceith hi ei thalu O! ceith* rhefrai ei Fam o lys barn ei gof. *O! ceith yr hen jadan.*

'I can't forgive,' meddai Sab a'i llygaid dyfnion, maglau ei llygaid, meddyliodd Dulyn ynddo'i hun, llygaid llawn tân oedd yn edrych arno fo, yr hen aelwyd, yn diferyd masgara.

'Rhaid chdi!' meddai Dulyn. 'Rhaid chdi!'

(*Rhaid chdi roi'r gora i'r hen hogan Sabina Robas goman 'na, Dulyn, plenty of fish in the sea.*)

'Does 'na ddim cysylltiad. No connection, Sab. It doesn't work like that.'

'Dwi'n gwbod. I know. Ond dwi isio chdi wbod un peth arall. One thing. Jimmy's the only man I really loved.' A'i llygaid hi'n ffyrnig.

'Sab, o'n i isio gofyn rwbath i chdi. Sachdi'n licio dŵad i Rysha?'

'What? What a bloody thing to ask me now! You never had tact, Dulyn Pari. Never.'

(*Os wt ti'n disgwl, Sab, mi laddith Mam fi. Ond be amdana i? Be amdana i, Dulyn Pari?*)

Ar groen ei braich lle'r oedd y llawes wedi ei chodi er mwyn dod â llythyr Isa Hasan Ali i'r fei gwelodd Dulyn ei thatŵ.

'Gin ti tatŵ,' meddai. 'Datŵ,' cywirodd ei hun.

'Last thing Jimmy gave me. It's a Chinese character. Ti'n sdêrio! What are you ogling at? Do you think women with tattoos are common? It's all over your face! I've got one on my arse too. Is it all shocking? A dead husband. A son who's been arrested. And tattoos.'

Ein hangen mwyaf ni ydy'r angen am storïau, ysgrifennodd Huan Ellis. Un tro . . . Un adeg . . . Storis sy'n cychwyn felna. Storis am ddechreuadau. Storis nos dawch. Storis yn erbyn y tywyllwch. O! pam ein bod ni yn difetha'r storis drwy eu troi nhw'n ffeithiau a chredoau? Storis i ddeud pam mae'r haul yn marw bob min hwyr a'r lleuad yn cael ei bwyta'n fyw bob nos. Storis i sôn am y nam yna sydd ymhob un ohonom ni ac sy'n datod bron bopeth a wnawn ni. Storis i drio gweld drwy'r caddug a'r niwl a'r tawch a'r nos ddidraidd a alwn ni wrth y gair 'angau' ond tarfuwyd ar ei ysgrifennu gan Lleucu a ddaeth heno yn ei ffluwch o wynder, haen ar haen o silc gwyn a bonet goch ac yntau yn heth y deunydd yn turio, fel yn gwthio ei law i eira, yn ddyfnach ac yn ddyfnach lle'r oedd y gwynder yn troi'n ddüwch, yr oerni yn danbeidrwydd, i chwilio am ei meddalwch llaith, y petalau rhosyn o gnawd rhwng ei chluniau claerwyn a'i fysedd yntau'n troi'n ddŵr yn llifo iddi a'r ddau hefo'i gilydd yn adrodd stori'r hil yn y gwlybaniaeth soeglyd, corsiog, cyntefig lle'r oedd geiriau wedi cyrraedd eu hanfod mewn griddfannau a synau unsill ac edrychodd Huan ar ei law unig a'i ddau fys fflamgoch yn gwthio'n bigdwr i wacter y düwch o'i gwmpas, i'r dim byd o'i amgylch oedd yn bygwth ei larpio ac yntau'n y fan yno heb gaer stori i'w amddiffyn. Heb loches geiriau. Heb le mochel ansoddair. Gafaelodd yn ei feiro a'i ddal yno'n bicell fechan rhwng ei fys a'i fawd yn barod i drywanu'r gair yn farw gorn ar ddistawrwydd y papur. Ond roedd o, fe wyddai, tu mewn i absenoldeb. Yn hollol ddi-stori. Fel petai cystrawen pwy ydoedd yn datod. Ym marwolaeth y berfau.

21

Olivetti

Darllenodd Dulyn y llythyr.

Annwyl Mr Pari,

Ond nid 'Parry' fel yn 'curry'! Y cyntaf i'r felin gaiff falu cachu, Mr Pari. Olivetti, Syr! Olivetti! Cymerwch olew yr olewydden. Ynddo y mae hirhoedledd. A coke – a vegetable extract. A wyddoch chi fod yna Pepsi Presidents a Coke Presidents? Prun oedd RR yr actor, ysgwn i? Mae syniadau yn gadael yr iaith, Mr Pari. Ychydig bellach sydd yn holi Pam? Sut? Ibe? Nes bod brawddegau'r iaith bellach yn teimlo'n ysgafn ar eich tafod. Fel petai pwysau a oedd yn hanfodol inni un waith wedi ei daflyd o'r neilltu. Y geiriau fel rhesiad o lorïau Dinky gweigion yn fychan yn symud ar orwel pellennig y llinell yn araf un ar ôl y llall yn nôl dim byd. A bêcd beans wedi glynyd yng ngwaelod y sosban. 33 fydd oed pawb ddydd yr atgyfodiad. Oed ein Harglwydd pan fu farw. A bydd ein cnawd fel newydd, yn ddi-fefl, heb bant na phloryn. Fel cnawd fy Lleucu. Agorodd y nos garpiau y cymylau i ddangos bron gron, lawn y lloer. Nid oes iachawdwriaeth ond drwy ddioddefaint. Nid oes iachawdwriaeth, Mr Pari, dyna'r jôc yn y dail. Rwyf fi newydd orffen llyfr Bragdon *Man the Square* ac ar drothwy ysgrifennu fy maniffesto. O! Lleucu. O! Lleucu! O! Mae iaith yn anffyddlon, Mr Pari. Yr hen gnawes. *He makes the shadow he pursues*, cofiwch hynny Mr P. Hen flas od ydy blas panad o de wedi i chi fwyta wy. Onide. Ac onide. Mae'r haul yn rhimyn o waed ar ymyl rasal y gorwel. Sumtomau o'n salwch ydyw ein geiriau. Y mae ein hystyr yn y chwilio, Mr Pari, nid yn y canfod. Fe'm cysurir gan y potiau marmalêd. Cysurwch! Cysurwch! *U, W, Y* yn te, Mr Pari. Rwy'n edrych amdani tu draw i'r *Y*. Ar ddiwedd yr alffabet yn edrych am allan. Olivetti, Syr, ac Olivetti. Rwy'n teimlo'n grêt.

Yn ddiffuant,
Huan Ellis

* * *

Pan aeth Dulyn i mewn i'r tŷ roedd yr Huan Ellis noethlymun wedi gorchuddio ei groen â geiriau. Yn *Handel* a *howdidw*, *Wozzeck* a *Williams Parry*, *Freud* a *ffrio*, *ffair* a *ffeirio*, *cibab* a *Kemal Atatürk*, a *Constant Fawr Inople*, *sangiad* a *sangfroid* a *sang-di-fang* a *Saint Saëns*, *Bethnal Green*, *Beechams* a *Bethlehem*, *Mahler*, *maddau*, *Melin Trefin*, *Jefftha* a *jammie dodgers*, *dygyfor* a *Durex*, *Waldo*, *waldio* a *Just William*, *felix culpa*, *Felix the Cat*, *Felics Agripa*, *T Rowland Hughes*, *tea bag*, *T H Parry-Williams*, *Horniham's tea etc etc etc* a marciau nad oedda nhw'n golygu dim byd – egin geiriau, had iaith. A rhwng y geiriau a'r marciau roedd ystolion bychain, grisiau bychain o greithiau yn dringo'i gnawd hwnt ac yma. A'i gala wedi ei gorchuddio â'r alffabet.

Edrychodd ar Dulyn:

'Babel! Mr Pari,' meddai'n floesg.

Sylwodd Dulyn fod ei silffoedd llyfrau'n weigion a'r llyfrau hyd lawr ym mhobman wedi eu rhwygo, tudalennau'n stribedi fel bandejis.

* * *

'Mr Dulyn Pari? Sioned Ifans! Seiciatrydd Ymgynghorol.'

Tua tri deg a phum mlwydd oed, amcangyfrifodd Dulyn. Docdor heb gôt wen. Yn ei ddillad ei hun. Fel petai anhwylderau'r corff – cansar, faricosfêns, ecsima, ylsyrs – yn hawlio gwynder iwnifform a gwallgofrwydd yn denu normalrwydd dillad Gap, Next, River Island. Lle mae meddyg pymtheg ar hugain yn prynu ei ddillad tybed? canfu Dulyn yn ei holi ei hun. A chofiodd am noethni Huan Ellis.

Sylwodd ar enw'r uned: *Peniarth*.

'Pam da chi'n rhoid enw hen lawysgrif Gymraeg lle mae geiriau wedi eu trefnu'n batrymau ar uned lle mae pobol yn mwydro?'

'Gobaith, efallai!' meddai'r Docdor. 'Chi ydy perthynas agosaf Mr Ellis?'

'Cydnabod yn unig. Tydwi ddim yn meddwl bod gan Huan deulu. Mae ei gefndir o'n dipyn o ddirgelwch. Ond . . . ia! . . . fi . . . gewch chi 'nghymryd i fel rhywun sy'n . . . agos . . . fel 'tai.'

'Dowch i'r swyddfa.'

Ar y wal roedd print o un o dasweiriau Monet. Wal wedi ei pheintio'n las golau. Cwpwrdd ffeilio – glas golau eto. Carped gwyrdd egwan, dibatrwm. Cadeiriau cyfforddus. Dau fwrdd bychan isel, gwydr ac aliwminiym, y cwbl yn sgleinio. Canfu Dulyn ei hun yn chwilio am rywbeth oedd wedi cracio, am rwyg, am dolc, am hollt.

'Dwisio mynd yn ôl ar y drygs erill rheiny,' clywodd rywun o'i ôl.

'Dim rŵan, Alys,' meddai'r Docdor Sioned.

'Ma nhw'n deud bod gin i geg fel twll din iâr.'

'O! Alys, pidiwch â gwrando arnyn nhw.'

'Sori am hyn!' meddai llais arall, llais nyrs, llais yn ei ddillad ei hun, llais normal.

155

'Ond dwi ddim yn sori,' meddai Alys.

A chaewyd y drws yn ysgafn.

'Alys!' meddai Sioned Ifans yn gwenu.

Daeth pelydr o oleuni drwy'r ffenestr wrth i'r haul hwyr hollti cwmwl. Y rhwyg yr oedd Dulyn wedi bod yn chwilio amdano. Y crac.

(*Dwynwen*, meddai Huan Ellis, *peidiwch ag osgoi y gwall, y nam, y crac. Ond o'r tryblith y daw patrwm a chreadigrwydd. Lle mae camp mae rhemp. A dyna beth ydy idiom: iaith yn naddu o brofiad gerflun o eiriau.*)

Sylwodd ar y llwch yn sgleinio'n gryndod yn y llafn golau. Croen marw ydy llwch, ia ddim? holodd ei hun.

'Mae o'n wallgo tydy?'

'Tydy'r hen enw gwallgofrwydd,' meddai'r meddyg yn ei dillad ei hun, 'ddim o help i neb. Episod seicotig, efallai. Nifer o ffactorau'n cydgyfarfod, dyfod i'r fei o'u cuddfannau nes gorlwytho'r ymennydd a hynny'n creu llanasd dros dro nes peri i'r unigolyn ymagweddu – bihafio – mewn ffordd anarferol ac od. Nid nhw eu hunain, fel y mae nhw'n deud ar lafar gwlad.'

(*Dwynwen, mae iaith drwy sylwi ar y cyflwr dynol ar hyd y canrifoedd wedi hidlo ei hun i gysactrwydd a chywreinrwydd idiomau fel 'mynd o'i go', 'dyfod ato'i hun'. Mae'r peth yn ogoneddus.*)

Gwenodd y meddyg.

'Wellith o?' meddai Dulyn a thôn ei lais yn edliw ei fod o'n malio am y dyn yma.

'Does yna ddim rheswm pam o gwbwl hefo gorffwys, nesa peth i ddim o sdraen, gwyliau bach ac wrth gwrs cyffuriau.'

'Ga i weld o?'

'Cewch siŵr. Cysgu mae o. Cysgu'n drwm hefyd.'

Cwsg cyffuriau. Y pigiad. Yr hylif oer yn y wythïen. Y

meddyliau'n llacio. Y corff yn ysgafnhau. A'r llithro i ffwrdd. Gwelodd ymchwydd ei anadlu rhythmig yn torri ar draeth claerwyn plyg llawn starj y gynfas. Drwy'r ffenesdr gwelodd bicwarch biws yr Eifl yn y machlud yn taflu ysgub o gwmwl melyn i ydlan goch yr awyr. Yn ei feddwl gwelodd yr ystolion o greithiau ar gnawd Huan – i ble roedd o wedi trio mynd dybed o ris i ris ar anaf ei gnawd ei hun? Ar fordaith ei ddolur.

(*Mae'n rhaid i chi weithiau, Dwynwen, neidio i'r clwyf. Yn y neidio yna y mae iechyd. Nid osgoi dioddefaint ond aeddfedu drwyddo. Y mae i boen ystyr.*)

Ger y drws allan roedd Alys mewn sgwrs daer â hi ei hun, ystum ei dwylo fel petai hi'n peltio'r geiriau.

'Jesus, I've got the charlie drakes bad today,' meddai dyn wrth ei sigarét yng nghryndod ei law.

'And they say I've got a mouth like a twll din iâr,' meddai Alys.

'Fama wyt ti? Newydd gyrraedd ydwi. Mi ddois i gin gyntad ag y ceis i dy neges di. Sut mae o?' meddai Elliw yn dod i'w gyfeiriad.

'Cysgu,' meddai Dulyn yn edrych ar yr awyr yn duo. Du fel *Llyfr Du Caerfyrddin.*

'Wellith o?'

'O! gwnaiff. Mae nhw'n meddwl i fod o wedi bod yn fama, yn y salwch yma, o'r blaen. Droeon.'

'Dwi'n gwbod bod hyn yn beth od i ofyn i ti, ond ddoi di i drochi hefo fi?'

'Arglwydd rŵan!'

'Ia, rŵan! Mae'r pwll am hanner pris ar ôl saith i rai dros bedwar deg pump.'

'Argol, 'na chdi fargan.'

'Ty'd, awn ni i nôl dy betha di.'

* * *

Wrth i Elliw ollwng ei hun i ddŵr y pwll sylwodd Dulyn ar y blew oedd yn ymwthio o ymyl defnydd ei chostiwm oedd yn dynn rhwng fforch ei choesau. Ac wrth iddi ledu ei breichiau sylwodd ar y düwch o dan ei cheseiliau. Ond roedd ei sylwi'n troi'n rhythu. Yn sdagio. Lledodd cymysgedd o isio ac ofn drosto. Rhedodd ei lygaid ar hyd noethni ei chefn, at chwydd canol oed ei bol o dan y defnydd du a'r gair 'Speedo' hyd-ddo, i fyny ei braich hyd at gryfder ei hysgwyddau. Gwraig gan Renoir neu Cézanne. Gwyddai yn ei reddfau ei fod yng ngŵydd dynas go iawn, dynas yr oedd nerth ei benyweidd-dra yn ei lorio yn ei rym tywyll, cyntefig a allasai ei hudo, ei ystrywio, ei falu'n rhacs. Ar ei chlun roedd clais. Clais piwsgoch. Ei phrydferthwch briw. Oherwydd bod yn rhaid i brydferthwch, deallodd ond heb fedru ei ddweud, edliw amherffeithrwydd. (*Mae pechod yn hanfodol i ni* yr oedd Huan Ellis wedi ei ysgrifennu rywbryd.) Ynghanol ei gên roedd tolc bychan a ddeuai i'r fei yn gysgod fel talp o fuchudd oherwydd ongl y goleuni.

'Ty'd!' gwaeddodd arno wrth symud â'i llaw o dan y dŵr ddefnydd y wisg nofio Speedo o rych ei thin. Dowciodd yntau i'r dŵr a chodi yn y man wrth ei hymyl. Ei braich yn emwaith o ddefnynnau dŵr. A chlais arall yn amethyst ar y croen pefriog.

'Ar be ti 'di bod yn sdagio?' meddai Elliw. A gwenodd arno.

'Ti'n gwenu fel y *Mona Lisa*.'

'Na! Gwenu go iawn ydw i. Paent ydy'r *Mona Lisa*.'

A dowciodd hithau i'r dŵr.

'Elliw! Ddoi di i Rwsia, yn dôi?' gwaeddodd ar ei hôl.

'Oedda ti o ddifri felly!' gwaeddodd hithau'n ôl.

'Dwi isio mynd â phawb. Huan pan wellith o.'

22

Fel lleisiau plantos

A sut beth ydy enaid?

Fel rhwbath bychan, tryloyw, cynnas.

Yn lle mae o? Yn dy gylla di? Yn dy galon di? Yn dy ymennydd di?

Yn bob man ynochdi bob tro wt ti'n gweld prydferthwch neu pan ti'n crio, pan ma rhiwin yn deud rwbath neis wrtho chdi, pan ti'n deffro'n hwyr ac ma'r haul yn gynnas ar dy foch di, pan ti'n ofnadwy o drist.

Teimlada ydy petha fela.

Naci, dy enaid di.

Teimlada medda fi, enaid medda chdi. Jyst geiria gwahanol am yr un peth.

Naci ddim. Tonna sy'n dŵad a mynd ydy teimlada. Y môr i gyd ydy enaid. Rhwbath lot mwy na chdi y ma pob chdi yno fo ond byth yn 'i lenwi fo.

Fo?

Hi ta!

Hi?

Hi-fo!

Rwtj-ratj!

Naci'n tad. Dwi'n gwbod.

Sut wt ti'n gwbod?

Am fod 'na sibrydion. Ac ma na rwbath ynoi fel weirles sy'n medru dal nhw.

Be ydy'r rhwbath?

Dwn 'im!

MOSCO

23

God! Pryd neshi sgwennu poscads ddwutha?

Say cheese! Na! No! Dudwch Vladivar Vodka.

Clic!

Ar gemegau'r ffilm yn nhywyllwch y camera fferrwyd Dulyn Pari, Elliw Vaughan, Rhodri Pari, Huan Ellis, Edgar Owen. Yno yn un o ystafelloedd aros maes awyr Manceinion yn disgwyl yr alwad i fynd ar yr awyren i Fosco. Ac, wrth gwrs, y tynnwr lluniau: Sab Ong. *Oddachdi yn meanio fo, Dul? Mosco! Sori am fod mor ungrateful! Can't believe it fedra i ddim. Wait till I tell Jean.*

* * *

Dear Jean,

God! Pryd neshi sgwennu poscads ddwutha? Have I ever? Blackpool with poor Jimmy most prob. Dwi'n enjoio bob munud. We are in a hell of a big hotel. Cosmos ydy enw fo. 56 floors. Dwi ar 19. Walking the corridor is like going through my dates backwards 1962, 1961, 1960, 1959, 1958 . . . 1951 – my room. Dwi just iawn yn clwad y caneuon. The songs of our youth, Jean.

Love i chdi,

Sab x x

Dear Jean,

Sachdi'n chwerthin cos dwi yn dalld dim yma. Dul Pari pretends he does. Ar goll da ni bob munud. And Dul says this way. Ond sgynno fo ddim bloody clue. Mynd i weld y llun fory. The picture little Rhodri liked. And it's why we've come. Had a great view of the city o lle o'r enw Sparrow Hills.

Love i chdi,

Sab x x

24

Pawb yn sefyll yn ei wirionedd ei hun

O flaen yr eicon sylweddolodd Elliw gin gymaint yr oedd hi yn casáu cristionogaeth. Er bod y gred honno i bob pwrpas yn farw bellach yn y Gorllewin, roedd arogl ei madru yn dal o gwmpas. Cristionogaeth, sustem oedd wedi dyfod i fod drwy gasineb: casineb tuag at y byd, tuag at y prydferth, tuag at y rhywiol, casineb tuag at gariad dynol a'i fwynhad, a'u troi yn fyd arall – *o! gwell na hwn* – yn gariad dwyfol nad oeddem ni rhywsut yn ei haeddu, yn wyryfdod oedd yn gwgu ar y cnawd a'i bleserau naturiol. A'n llenwi ag euogrwydd a dyhead am yr hyn oedd tu draw, tu hwnt i ni. Fod dioddefaint a marwolaeth yn rhinweddau ac yn ddrysau agored i fywyd gwell, llawnach. Ein cadw ni yn ein clytiau emosiynol o flaen ryw Dadi Mawr. Yma o flaen y llun hyll hwn roedd hi'n densian tu mewn iddi ei hun. Cynigiodd cristionogaeth ei hun fel y feddyginiaeth tra mai hi o'r cychwyn oedd y salwch. *Thou has conquered. O Pale Galilean; the whole world has turned grey from thy breath* cofiodd o hen lyfr ysgol, cerdd yr oedd hi'n ysu i gael ei hastudio ond na chafodd hi ddim gan y sustem addysg gristionogol Gymraeg a'i gorfodi i ddarllen cerdd hirwyntog a diflas o'r enw *Sohrab and Rustum*. Pam o! pam yr oedd cyn gymaint wedi llyncu'r celwydd mai cariad oedd canol y grefydd tra mai ei hanfod oedd casineb tuag at bopeth sydd yn ein gwneud ni'n fodau dynol?

'O! isn't it lovely?' meddai Sab yn edrych ar yr eicon. 'Dydy o.'

Gwyddai Edgar fod ynddo ddrws yr oedd o arglwydd mawr! wedi edrych arno ugeiniau o weithiau – y mae o ym mhawb – y drws y medrai o'i wirfodd ei agor a diflannu am byth drwyddo. Y drws y mae'r gwallgof, y meddwyn, yr adicd, yr hunanleiddiad, wedi hen fynd drwyddo o'u gwirfodd. A hyn oedd y rhyfeddod i Edgar – ia! Edgar! oedd bellach wedi colli balast yr 'Owen' – pam yr oedd cyn lleied yn dewis meddyginiaeth y drws rhag salwch byw? Ac yn dewis aros yn y clwyf – yn llon weithiau, yn hapus weithiau, yn creu weithiau, yn cyplu weithiau, mewn dagrau weithiau, mewn ing weithiau. O! Ddyn yr arwr. Mae prynu torth, deallodd y pnawn hwn, yn rhyw lun ar arwriaeth ambell dro. Postio llythyr yn gamp weithiau.

Ysgrifennodd Sab:

Dear Jean

Seeing the picture right now. I don't dwn 'im os ydwi'n credu yn Duw. Maybe I don't really. When I think of Jimmy oeddo yn unfair. The facts and god don't go together do they, Jean? But the picture is beautiful. Mae o. Maybe there's something that's beautiful somewhere. That hides and withiau dŵad i'r fei. That remembers us as I remember Jimmy. I hope ia. I wish.

Love ichdi,

Sab x x

Gwelodd Elliw fod cyrff y tri gŵr yn yr eicon wedi eu gorchuddio â gwisgoedd gwych. Casineb crefydd at y corff a'i bethau. Casineb o'r fath faint, dirnadodd, nes bellach mae rhywun yn medru sdrapio deinameit am ei ganol a chwythu ei gorff ei hun a chyrff pobl eraill yn smiddarîns. Mae'r casineb yma at y corff sy'n llechu yn ddwfn tu mewn i bob crefydd yn ddamniol i'r ddynoliaeth ac wedi bod erioed. Yn y byd sydd ohoni rywbeth i gael gwared arno yw crefydd, deallodd.

'Tydwi'n gwbod dim,' sibrydodd Huan Ellis i'r eicon. 'Dim.'

Lledodd dros Edgar yr ymdeimlad o wyleidd-dra. Lledneisrwydd meidroldeb? Nid oedd o'n berchen ar sicrwydd o unrhyw fath, deallodd bellach. Byddai ei fywyd ryw ddiwrnod yn dyfod i ben. Nid oedd yna unrhyw du-hwntrwydd. Nid oedd o, mewn geiriau eraill, yn bwysig iawn. Ymdeimlodd â rhyw ryddhad ynddo'i hun fel petai o wedi rhoi'r gorau i gwffio, yn derbyn rhywbeth oedd wedi bod ynddo fo erioed. Rhywbeth oedd yn fwy nag o. Nes peri iddo deimlo'n annigonol drwy gydol ei oes. Yn llai nag o ei hun. Ond nad oedd y *peth* yna, yr anferthedd mewnol hwn, ddim yn bod. Rhith oedd y cwbl. Swatiodd Edgar yn ôl iddo'i hun. Am fod hynny'n ddigon? Tynnodd y marc cwestiwn ymaith. Am fod hynny yn ddigon. Sylwodd ar belydr o oleuni'n chwalu'n les ar y pared wrth ei ymyl yn y Tretyakoff. O'i gwmpas daeth i sylwi ar ddawns pobl, nid pobl yn gwthio yn erbyn ei gilydd mwyach, ond eu dawns. Ynddo'i hun gwelodd brydferthwch y byd. Nid am ei fod o'n ddi-boen nac am ei fod o'n parhau am byth. Ond prydferthwch byrhoedledd. Un byd sydd yna, meddai Edgar. Ac y mae o'n dlws.

Llwch sêr wedi ei fywiocáu, dyna be yda ni, cofiodd Elliw i rywun ei ddweud unwaith. A'n bod ni sydd yma dros dro yn edrych ar y sêr sydd filoedd o flynyddoedd o'n blaenau ni ac ar ein holau ni ond eto ni sy'n medru esbonio tarddiad y sêr, dangos eu gwneuthuriad cemegol nhw mewn sbectrwm o liwiau, disgrifio'r rhesymau dros eu diflaniad nhw yn y man. Hynny sy'n anhygoel. Y gwirionedd trist weithiau, mawreddog ran amlaf, fod ein gallu ni i ddeall, i ddirnad, i ddychmygu mor enfawr a'n cyrff ni mor fregus. Ein meidroldeb ni ydy ein rhyfeddod ni. Gwyrth y dros dro. Caeodd Elliw un llygad a symudodd ei bawd yn nes at ei llygad agored nes diffodd yr eicon o'i blaen.

Daeth Dulyn a Rhodri yn nes at y llun. Yn ddwfn ynddo'i hun teimlodd Rhodri ei gân i'r byd yn cyniwair o'i fewn. Ei gân o liwiau. Ac fe'i daliodd yno fel y mae rhywun yn dal corff bychan dryw rhwng cledrau ei ddwylo gan deimlo ei galon yn pwmpio a'i adenydd cynnes yn gwthio, yn dyheu rhyddid. Ond nid eto! Nid eto! A thynnodd Rhodri ei gân yn ôl iddo'i hun . . . *Annwyl Lexy*, meddai Dulyn o'i le dyfnaf. Ond na! enw rhywun arall oedd hwnnw. Rhywun arall oedd ei berchen. Ac roedd o'n tresmasu. *Annwyl Dwynwen*, meddai. Oedodd i ddisgwyl i eiriau ffurfio ynddo'n frawddegau, yn baragraffau, yn gyffesiadau, yn lleoedd cymod. Ond aros wnaeth y geiriau dan fondo'r distawrwydd. *Ymddiried y distawrwydd, Dulyn*, meddai llais wrtho, ynddo.

Profi pethau. Cariad! Celfyddyd! Bwyd da! A chwmni! Anadlu trwm ar ôl rhedeg, ar ôl rhyw! Edrych ar ymchwydd y môr! Teimlo dŵr! Gweld storm yn ddu, yn las, yn biws ar y gorwel! Cyffwrdd rhywun! Gwrando ar fiwsig! Arogli blodau! Cofio! Gweld cryndod y dail gwyrdd a'u cwymp llawn lliwiau yn y man! Noethni'r gaeaf! Noethni! Haul! Lleuad! Sêr! Siwgwr! Lemon! Panad! Da-da! Ydy hyn yn ddigon? holodd Elliw ei hun. Ydy! Ydy! Ydy! Llamodd ei hateb o'i mewn. A gadawodd i chwilio am luniau Malevich.

A phetai chi'n gwagio'r corff: symud organ ar ôl organ, y galon, yr iau, yr ymennydd, y sdumog, yr arennau, y llygaid, gan adael ar ôl ond y siâp, canŵ o groen ac asgwrn, a chael gwared ar hwnnŵ hyd yn oed, be? pwy? ydy'r *fi* sydd rhywsut yn goresgyn . . . yma o hyd . . . yn gyfan . . . yng nghrebwyll rhywun arall . . . yn nychymyg rhywun arall . . . sy'n ystyfnig aros pan fo popeth sy'n angenrheidiol i roi *fi* wrth ei gilydd wedi ei chwalu, wedi mynd . . . be ydy'r *fi* sydd rhywsut yn drech na'r corff oedd yn madru ar y tir yn Rhos-y-Gad ac yr aethpwyd ag o i orwedd ar slab mortiwari . . . *fi* yr hogan o wlad arall, bell oedd yn stwrian o hyd hyd grebwyll Edgar . . . be ÿdy *fi*? Holodd yr eicon . . . fel agor cledr ei law i ryddhau pilipala . . . a gadael i'r cwestiwn fod heb ddisgwyl ateb fyth . . . am fod rhai atebion yn aros yn gwestiynau am byth . . .

Ac felly o flaen eicon Andrei Rublev i Drindod yr Hen Destament safai pawb yn ei wirionedd ei hun.

25

Cofio Billy Smart?

Dear Jean,

Posh nosh tonite. Dul P took us to an Armynun restront. Noa's Arc oedd enw fo. He said that the arc was found on a mountain in their country. Elliw V said they were all murdered in 19 something. Isn't that terrible. And they are such lovely people. Pobol neis.

Love i chdi,

Sab

x x

Dear Jean,

Dyma chdi Red Square yli. Ti'n cofio'r parades ar y TV? Hen ddynion a lot o missiles. The woman who took us round said that 'red' in Russian is 'beautiful.' A beautiful square. Lovely de. That big church there is so funny. Just like a fist full of coloured lollipops it was. Saw Lenin. God! They should berry him. Tydyo ddim yn iawn. Oddo mor fach. And like wax. Siwt amdano fo. Lot o guards. Ac oddachdi'n gorod ciwio. Not for long tho. Went to a place called GUM. Llawn o shops. Really drud. Amani a Gwji. This whole area is called Kitaj rwbath. Tywydd yn grêt. Never laughed so much in my life. Never been so happy.

Love i chdi,

Sab

x x

Dear Jean,

Been to the circus. Cofio Billy Smart a Coco the Clown on TV? Odd hwn yn well. Better. DP taking us to a George resdront tonite. Cael un o'r dolls with ten more inside. A un bach right at the end size dy ffingyr-nail di. Cute. Hand-painted medda'r dyn. Elliw V argued with a man selling a fur hat. It's wrong medda hi. Un od honna.
Love i chdi,
Sab
x x

Dear Jean,

Wedi bod mewn cemetary. Wir dduw i chdi. Huge thing. Near a convent. But not morbid. Dodd o ddim. Massive graves. Lovely shapes some of them. Writers and musicians and politicians are buryd there. Saw Stalin's wife's grave. Oddgyno fo le a little stone seat nearby lle odd o yn ista. A poor love. Grief Jean bach. God I know. Colli Jimmy fama. Poor Stalin. Saw the grave to of the man who wrote the film Dr Zhivago. Ti cofio Omar Sharif yno fo. Dreamed about him for weeks after. I love the Metro. I love giving up my seat when I get one i'r hen bobol sdi. I hen ddyn heddiw full of medals. He was so greatfull. A'r shandylîyrs in the stations. It's beautiful here.
Love i chdi,
Sab
x x

Dear Jean,

Heard a lovely story from a guide. Am Noa's Arc sdi. Odd na hen lun o Noa's Arc yn y monysdri. There were two mice in the arc eating through the wood. A dyma na gath yn i buta nhw. And cats are now guaranteed heaven because they saved the human race. Tasa'r llygod di buta'r pren sa'r gwch di sincio. Isn't that lovely. But dogs have got the devil in them. The man said. I love this place. Dul has been so kind. I want everybody in the world to be happy. Had caviar. More cachu iâr Jean.

Love i chdi,

Sab

x x

Dear Jean,

O Jean been to the bali. Dul took us. It was the Cweir Off something like that. I cried. Never saw anything so beautiful. Bodies were feathers, Jean. Other things not just clumsy bodies. Like thrown water catching the light. They had that song from Billy Eliot at the end when he's grown up and his Dad came to watch ti'n cofio. I love looking at the young boys here. Beautiful faces. But sad Jean. Sad eyes. A lot them are soldiers and are killed in Chenia Elliw V says. I think of Sammy. Hope he's all right. Nesdi glwad. Ddylsa chdi weld y drain pipes yma fel ice cream sgŵps mawr. Only two days left. Bought one of those fur hats. Am snicio allan i McDonalds munud. Take Rhodri. Dying for a bŷgyr.

Love i chdi,

Sab

x x

26

Fo

Er ei fod o'n clywed y twristiaid eraill islaw? uwchben? rownd y gornel? roedd o wedi canfod rhyw gilcyn o le iddo'i hun. Edrychodd ar y patrymau o flodau ar y parwydydd yn ymestyn hyd y lle – i atgynhyrchu'r nefoedd, gwyddai o'i ddarllen, dyna oedd y bwriad am mai gardd oedd y nefoedd, lle ffrwythlondeb a thyfiant. Felly roedd bod tu mewn i'r basilica yn golygu croesi trothwy a chamu i fyd arall mwy gwir na hwn. Edrychodd ar y nenfwd gan weld yno droell ar blastar y gromen. Sibrydodd eiriau Yeats *turning and turning in the widening gyre.* Arswydodd. *Pa sawl fi flith drafflith sydd yna* holodd ei hun yn yr arswyd. *Rhes ohono i fel darnau dominos yn gatrawd droellog un ar ôl y llall a'r pnawn 'ma'n disgyn i'w gilydd yn un chwalfa swnllyd.* Pa sawl byd arall tu mewn i hwn, tu mewn i hwnnw, tu mewn i'r llall, tu mewn wedyn, tu-mewn-tu-mewn? A'r parwydydd deiliog yn nentydd aflonydd yn llifo o'i gwmpas. Yn ei bryfocio. Dyma'r trothwy. Dyma'r ffin. A diriaeth y Gorllewin yma yn dechrau troi'n haniaeth y Dwyrain. *Cyfarchiad y Fair Forwyn* Giotto oedd yn boscard ar ei wal adref, siâp corff y Lenin marw yr oedd o newydd ymweld ag o yn ei ogof betryal gallestr yn troi'n geometreg fel ffasâd mosg, yn gwrthod teitlau, yn gwrthod diffiniadau, yn drysu rheswm, yn drysu iaith. Y pnawn hwnnw ym Mosco yng Nghadeirlan Basil roedd o'n cael ei helcid o'r cyfarwydd, y pethau oedd yn ddiogel ynddo, ei wareiddiad, ac yn cael ei dynnu o'r fan honno i ddieithrwch llwyr, i arall, wyneb i waered. Clywodd *rywbeth* a ddylai fod yna yn ddigwestiwn yn malu'n deilchion tu mewn iddo. Nes peri iddo deimlo nad oedd o'n neb ac yn nunlle. Rhuthrodd am allan i lesni'r awyr at bobl, i fod yn agos, yn glòs at gysactrwydd siapiau eu cyrff, yn symud hwnt ac yma ar hyd y Sgwâr Coch. Daeth ato'i hun. Ei unig hunan, penderfynodd. Fo. Huan. Fo.

27

Llaw

Dangosodd yr haul ei wep yn ffenasd las yr awyr y bore hwnnw o wanwyn ym Mosco. A phenderfynodd aros yno drwy'r dydd i sbio. I sdagio.

Cerddai Dulyn ac Elliw ar hyd y stryd.

'Weli di'r tŷ bwyta 'na yn fanna?' meddai Elliw, 'y Kolkhida – dyna ti'r hen enw ar Georgia.'

'Ew! Ma riwin wedi bod yn ei Ryffgeidio hi.'

'Ma rhywrai yn gwybod! A drycha ar y cerflun aur ffug 'na, weli di, dyna chdi Jason a'r Cnu Aur yldi. Yn Georgia, Kolkhida, ddigwyddodd y stori. Gwbod hi?'

'Oddna Gnu Aur yn Blaenau Seiont sdalwm. Siop ddafadd. Dwy Fus Preis oedd yn ei chadw hi.'

'Wyt ti wedi cyrraedd yr oed 'na pan wyt ti wedi sdopio chwilio? Ti wedi cael hyd i dy gnu aur: miliyna mewn cyfri banc, tŷ anferth – petha fela. Nid chdi dwi'n 'i holi gyda llaw, ond cyffredinoli am y canol-oed dosbarth-canol Cymraeg. Eu bywydau nhw rywsut wedi gorffen ond hefo blynyddoedd lawer i fynd â'r cwbl mae nhw'n ei wneud ydy be mae nhw wedi ei wneud eisoes. Bywyd o run peth. Ni a'n tebyg.'

'Argol, Elliw, chdi yn ddosbarth canol! Hen rebal fel chdi!'

'Wrth gwrs mod i'n ddosbarth canol! Hen rebal canol-oed dosbarth-canol Cymraeg. Mae'r rebelio wedi mynd yn ystrydeb yno i. Y cicio yn erbyn y tresi yn ffordd designer o fyw. A mod inna wedi colli gafael ar y cnu aur. Y peth oedd yn dân eirias yno i un tro. Y parhau i chwilio ydy'r peth. Ia? Fod raid fod yna rywbeth y gwyddost ti na fedri di fyth mo'i gael o. Rhywbeth sy'n parhau i fod yn drech na chdi ac yn dy ddenu di a dy hudo di. Dy gyfareddu di.'

'Dyna beth ydy peintio i chdi? Chwilio?'

'Ia. Proses o chwilio ydy peintio. Y rhelyw yn meddwl mai copïo neu ddisgrifio ydyo. *Llun o bedio?* chwedl nhwtha. Ond chwilio diddiwedd ydyo. Mi wt ti'n 'i weld o'n Picasso yn well na neb. Y newid arddull a defnyddiau a dulliau parhaus. Wt ti'n meddwl mod i'n da i rwbath? Wt ti, Dulyn?'

'Wrth gwrs dy fod ti.'

'Ond sut wt ti'n gwbod?'

'Drycha ar y gwobrau a'r adolygiadau.'

'Ond a ydy nhw'n deud y gwir ynte canmol mae nhw am resymau eraill? Petha i'w hamau ydy adolygiadau yn Gymraeg.'

'Dyma'r creisis aeth â chdi at Huan un tro?'

'Ia! Ond ydy'r chwilio blêr, angenrheidiol ar un tro, y dyheu enfawr 'ma y tu mewn i mi, wedi troi'n sdeil ynoi, Dulyn? Ti'n gweld, mae'r rhan fwya wedi cael eu cnu aur, wedi profi siomiant mewn geiriau eraill ac wedi syrthio i undonedd a llugoeredd, wedi syrthio i ddeud ac i wneud yr un pethau drosodd a throsodd.'

'Ond nid y chdi!'

'Dwn 'im, Dulyn! Dwn 'im! Rhwbath sy'n digwydd i ddynas ganol-oed yli, stâd dwn 'im. Fod pob dim ar yr wyneb gin ti ond sgin ti ddim byd deud y gwir o dan y cwbwl. Mond – dwn 'im os ydwi'n hapus. Dwn 'im os mai hyn dwisio. Dwn 'im lle dwi'n mynd. Cyflwr dwn 'im. A ti'n cau'r drws ar y plagio mewnol 'na a thrio cael dy gics mewn llefydd erill, cudd. Weithia, Dulyn, dwi'n edrych yn y drych a dwi'n gweld anonestrwydd.'

'Mi oeddwn i'n meddwl bod bob dim gin i ond dyma fi'n ôl ar y lôn yn trampio . . .'

'Dau hen dramp felly!' a rhoddodd ei braich drwy ei fraich o. 'Ges i nodyn gin Cephas King – ti'n 'i gofio fo? – cyn i mi adael.'

'A be oedd gynno fo isio?'

'Fy siarsio fi i fynd i weld Malevich a deud ei fod o'n marw.'

(Elliw fach! Mae cansar y prostad arnaf fi. Dyna beth oeddwn i eisiau ei ddweud wrthych chi y noson honno, noson y mosäig. Ond methais. Maddeuwch i mi. Ond na hidiwch. Rwyf fi am i chi wybod mai chi yw un o artistiaid gorau'r wlad. Y gorau! Ac i chi gyrraedd y lle yna heb gymorth neb. Neb chi'n deall! Mwynhewch Mosco. Cofiwch fynd i weld Malevich yn y Tretyakoff. Gwerth ei ailddarganfod. Diolch am bopeth.
Yr eiddoch,
Cephas.)

'O!' meddai Dulyn.

'Ia!' meddai Elliw. '*O!* Dyna ddiwedd pawb, ia – *O!* A lle mae Mrs Ong heddiw? Sdics to you like a showyr cyrten, yes, no!'

'Sab! Rodda ni'n rysgol hefo'n gilydd.'

'Back a long way felly!'

'Mae hi wedi mynd â Rhodri am Big Mac.'

'Wyddai ti fod 'i mab hi'n Fwslim?'

'Gwyddwn.'

'A glwasdi ei disgrifiad hi o'r bale – fel dŵr wedi ei daflyd yn dal y goleuni. Da de!'

'Gwraig ddisyml ydy Sab Ong.'

Cyrhaeddodd y ddau Pushkinskaya ploschad.

'Sdondin yn gwerthu *kvas* yn fanna. Tisio trio peth? Mae o i fod yn neis. Diod wedi'i neud hefo bara rhyg wedi'i eplesu.'

'Ych! Ond mi driai rwbath.'

Edrychodd Elliw ar Dulyn yn cerdded ar draws y sgwâr. *Paid â bod rhy hir, mae gin i gymaint o betha dwisio'u deud wrtha ti*, meddai ei hedrychiad. *Dwi'n gwbod! Ac ma ganddo ni oes gyfa o'n blaena i rannu*, meddai sioncrwydd ei gerddediad.

'Trempyn!' meddai Elliw yn uchel.

A ffrwydrodd y bom.

Roedd petalau'r goeden geirios hyd lawr ei chof yn wrid fel gwrid geneth ifanc oedd wedi darganfod nerth cariad am y tro cyntaf erioed. Gwelodd Elliw y siâp boch o betalau yn cael ei godi gan yr awel a'i gario ychydig ymlaen. Drosti, trwyddi lledai rhyw ymdeimlad o heddwch mawr. O'r petalau y deuai? – oddi allan iddi yn sicr – gan beri i bopeth arall gan gynnwys hi ei hun syrthio i le o ddinodedd. Teimlai ei hun yn llifo at allan. Ei bod hi'n rhan o rywbeth mwy na'r hyn yr oedd y gair 'fi' yn medru ei ddal. Ond gallai o hyd deimlo ei hun. Nid oedd hi wedi diflannu i nunlle arall. Nid oedd hi wedi peidio bod. Yn hollol hi ei hun ond yn lletach ac yn ddyfnach. Fel petai rhyw dynerwch oedd o'i phlaid yn ei thywys i le eang. Lle rhwng yma ac nid yma. Am ennyd roedd y gair 'marw' hyd yn oed wedi ei wagio o'i gynnwys. Roedd hi'n ildio ei hun. Deallodd â'r cwbl ohoni beth oedd ystyr *aberth*. Teimlodd ei hun yn codi ei throed dros y petalau pinc oedd wedi ffurfio eu hunain yn rhes hir fel trothwy. Ond diflannodd y cwbl. Yn ei chylla daeth yr hen deimladau'n ôl: y simsanu, yr ansicrwydd, y malu'n rhacs cudd y tu mewn iddi ei hun, yr euogrwydd. Ceisiodd godi llond dwrn o'r petalau. A'r lliwiau bellach fel lliwiau sgriffiadau ar ben-glin. Ceisiodd eu gwasgu fel gwasgu ymyl ffrog newydd hogan fach oedd wedi syrthio i bwll o ddŵr budr wrth gadw reiat. Ond fedra hi ddim. Fedra hi ddim defnyddio'i llaw. Ble roedd ei llaw. Llaw caru. Llaw bwyta. Llaw sychu tin. Llaw llywio

car. Llaw popo – *ylwch*! Llaw sgriffiad – *Mam! Ga i blasdar*.
Ei llaw peintio. Ei llaw creu.

Yn ei gof gwelodd Dulyn ef ei hun â gang o hogiau eraill
yn edrych ar loÿnnod byw yr oedden nhw newydd eu dal
yn sdrancio tu mewn i jar bicyls. Agorodd un o'r hogiau'r
caead. I'w ffroenau deuai'r ogla finag sur. Gwthiodd yr
hogyn ddau fys i mewn i'r jar gan greu caead â chledr ei
law. Â'i ddau fys fel gefail cydiodd mewn glöyn a'i dynnu
allan. *Rho di'r ffwcin caead 'na'n ôl, Pari*, gwaeddodd.
Edrychodd y plant yn hir ac yn ddistaw ar y glöyn yn
gwylltio rhwng ei fysedd. Cwpanodd y creadur â'i law. Yna
lled-agor ei ddwrn a'r pennau eraill yn dyfod yn nes i gael
gweld. Ailafaelodd yn yr adenydd, eu hagor am allan ac â
phlwc sydyn eu rhwygo'n rhydd o'r corff. *Whei!*
gwaeddodd yr hogiau. *Fi rŵan!* Ac felly y bu hi, bawb yn ei
dro yn diadenyddu'r gloÿnnod. Hyd nes y daeth hi'n dro
Dulyn i gyflawni'r weithred. Nid oedd ond un glöyn ar ôl.
Un bychan glas. Ond rhywsut wrth drio ei ddal gwasgodd
Dulyn ei gorff yn slwtj yn erbyn y gwydr. *Go damia chdi*,
meddai'r hogiau yn groch mewn siomiant, *ti 'di sbwylio'r
gêm rŵan, Dulyn Pari*. A'r cyrff hyd lawr wrth eu traed,
rhai'n dal i wingo, yr adenydd yn glytiau bychain amryliw,
breichiau, coesau, pobl, siapiau oedd yn ymdebygu i bobl,
cylláu, pytiau, darnau, *bomba* – sibrydodd rhywun, *Elliw!*
Elliw! Hithau'n swp diymadferth. Ac yn y rwbel, ei llaw.

A'r haul yn dyst i'r cwbl. Yn sdagio.

BLAENAU SEIONT

28

Morgeisi ac ofn marw

Cerddodd gŵr ifanc i fyny llwybr yr ardd at y drws ffrynt, ei nerfusrwydd yn amlwg, ei ben i lawr weithiau, dro arall yn edrych hwnt ac yma fel petai'n ymwybodol bod rhywun yn ei wylio. Curodd ar y drws.

'Rhein yn ôl i chi,' meddai gan ddal pecyn bychan o lyfrau am i fyny pan agorwyd y drws gan Huan Ellis. 'Ddrwg gini mod i wedi cymryd blynyddoedd i'w dychwelyd nhw.'

'Pwy sydd o 'mlaen i?' holodd Huan. 'Sammy, ta Isa?'

'Isa!'

'Wel! Tyrd i mewn, Isa!'

Eisteddodd y ddau yn yr ystafell oedd yn foel heblaw am ddwy gadair.

'Tydy fan hyn ddim fel roni'n 'i gofio fo. Be ddigwyddodd i'r holl lyfrau?' meddai Isa'n edrych ar y moelni. Y moelni oedd yn atgoffa Isa o lyfr nodiadau gwyn, gwag, agored fel petai o wedi cerdded i mewn i'r gwynder.

'Dwi'n gadael,' meddai Huan. 'Mi geshi beth o dy hanes di gan dy Fam tra roedda ni hefo'n gilydd yn Rwsia. Pam, Isa?'

'Pam be, Huan? Pam dod yma? Pam i mi fyta tôsd bora 'ma? O! wn i: pam troi'n Fwslim? Dyna be mae llygaid pawb yn ei holi wrth edrych arnai. Fel petawn i wedi cael rhyw wenwyn neu ddal afiechyd. Mi gyrhaeddais i Islam drwy fy nghrebwyll, Huan. Drwy feddwl, drwy edrych ar y byd. Mi fydda chi o bawb yn cymeradwyo hynny.'

'Wrth gwrs! Ond i lle eith hyn â chdi, Isa?'

'Paradwys, Huan!'

'A! Paradwys! Y diflastod mwya! Pob dim yn amlwg. Pob dim wedi ei gwblhau. Pob ateb yn ei le. A thragwyddoldeb o syrffed i ddilyn. Hunllef ydy pob paradwys o'i gwireddu. Hunllef i'r emosiynau a'r deall. Hunllef boliticaidd ac economaidd. Uffern yn y man ydy pob nefoedd. Â'r rhannol ac â'r dros dro, â'r tamaid y mae a wnelo ni, Isa. Asbri'r cwestiynau nid gormes yr atebion. Y teithio nid y cyrraedd.'

'Y cul-de-sac Gorllewinol hynna, Huan! Lle mai'r unig gred sy'n cael ei chaniatáu ydy'r gred ddiysgog mewn dim byd. Sicrwydd ansicrwydd. Y mae'r lle'n llawn o broffwydi dim byd. Da chi'n un ohonyn nhw, Huan? A gwae chi os yda chi'n ddeiliad cred go-iawn, sylweddol a hanesyddol y mae canrifoedd o fyfyrio arni wedi codi trigle prydferth. Mi fyddwch chi wedyn dan lach proffwydi dim byd hefo'u ieithwedd a'u jargon nad ydyo'n ddim ond cybôl, ffaldi-raldi-ro mawreddog, academaidd. Ond dim byd ydy dim byd, Huan. A hynny ydwi ac eraill wedi ei weld. Dwi'n rhoi'ch byd chi'n ôl i chi. Gan ddewis stori arall. Stori sy'n deffro yno i y dyhead am yr enfawr. Stori yr yda chi wedi ei ffeirio hi am dai bach twt mewn stadau bach del, morgeisi ac ofn marw.'

'Ew! A be sy'n eich dulo chi, Isa? Bomiau? Ysgrythurau? Hualau crefydd? Difrïo'r rheswm? Wyt ti wedi lladd rhywun, Isa? Cyfnod ar y trothwy ydy hwn. Dyna pam mae yna ymdeimlad o greisis ym mhobman. Mae'r Gorllewin yn newid hefyd. Tydy hi ddim yn glir eto beth sy'n dod i fod. Nid un peth, rhyw un stori enfawr i'n carcharu ni gyd o'i mewn hi, ond hyn a'r llall. Yn y darnau a'r darniog yr yda ni'n byw. Ond y mae un peth yn sicr, Isa, awn ni ddim yn ôl fel rwyt ti a dy debyg am i ni wneud.'

'Pwy sy'n sôn am fynd yn ôl? Sôn am ystyr a diben ydw i. Nid y ffwndro a'r baglu diddiwedd yr yda chi ynddo fo.'

'Ni sy'n creu ein hystyron.'

'Naci! Mae'r ystyr yna o'n blaenau ni. A dyna'r gwahaniaeth sylfaenol rhyngddo ni, Huan. Mae yna rywbeth sydd wedi ei roi, oddi allan, yr wyt ti a finna'n ymateb iddo fo. Nid fy ngwirionedd i. Ond y gwirionedd. Gwirionedd nad oes arno angen yr un gwrthrych ond sy'n dewis datguddio'i hun. A dyna beth ydy Islam, Huan – deffro! Deffro i'r gwirionedd sydd wedi bod yna erioed. Nid pechaduriaid yda ni yn ogymaint â rhai sy'n cysgu. A'r ymateb i hynny ydy gwyleidd-dra, ildio, plygu glin. Yr union bethau na eill y Gorllewin yn ei haerllugrwydd mo'u goddef. Mae eich balchder chi yn gwarafun i chi addoli, plygu.'

'Ond o'n dychymyg ni y daeth y duwiau, Isa! *He makes the shadow, he pursues.* Wyt ti'n cofio fi'n rhoi benthyg Coleridge i ti? A dy beryg di ydy cael dy ormesu gan dy greadigaeth dy hun. A gormesu eraill yn y broses. Carchar yn y diwedd ydy pob cred. Dwnjwn dogma. Rhan o'r cwestiynu ydy duw. Y cwestiynu dynol. Ing bod yn fyw. Does yna run ateb mawr terfynol. Mond atebion llai dros dro pobol wrth iddyn nhw syrthio mewn cariad a thosturio wrth ei gilydd, wrth iddyn nhw greu celfyddyd a cheisio gwella stad ei gilydd . . .'

'Ond Huan! Fel y mae crefydd yn edwino'n y Gorllewin y mae ofergoel yn cynyddu. Pidiwch â thwyllo'ch hunain eich bod chi'n ddi-gred. Credu rwbath-rwbath yda chi bellach. O'r farchnad sdoc i aromatherapi . . .'

'Efallai! Wnawn ni fyth godi Chartres eto, na Chôr y Cewri mwn. Digon teg. Ond fydd yna ddim chwilys ychwaith, na jihad. Chaiff neb eu llosgi eto, Isa. Ein gwerthoedd ni bellach ydy ymchwil, amheuaeth, cwestiynu, cydraddoldeb, gweriniaeth ein cnawd cyffredin . . .'

'A'r gwerthoedd erill, Huan! Hunanoldeb, unigolyddiaeth, gor-ddibyniaethau, materoliaeth, addoli nwyddau, diffyg pwrpas. Bydd onest, Huan, be eill agor dy galon di – canol gwag mosg ynte crombil llawn dop o nwyddau Pepco nad wyt ti ddim o'u hangen nhw? Prun, Huan? Prun?'

'Does yna ddim rhaid i mi fynd i'r naill eithaf na'r llall, Isa. Mae gweld prydferthwch machlud, gwên plentyn, gwrando ar sŵn afon heb orfod chwilio am esboniad i'r pethau yma tu draw iddyn nhw eu hunain yn ddigon. Wrth y pethau eu hunain yr wyt ti yn deud diolch. A rhyfeddu wyneb yn wyneb â nhw. Yr hyn sy'n wyrthiol ydy fod unrhyw beth yn bod o gwbwl. Ond does yna ddim byd oddi allan i ni bellach.'

'Ystryw solipsistig yr unigolyn Gorllewinol. Trampio i nunlla.'

'Trio byw hefo'n meidroldeb yda ni'n dau. Chdi yn dy ffordd di. Finna yn fy ffordd inna. Ti ddim yn gweld hynny? A'n traed ni'n dau ar yr un ddaear. Yn sbio am allan. Dwi'n galw'r hyn wela i yn ddim byd. Ti'n 'i alw fo'n dduw. Yr un ydy dy gwestiwn di â f'un inna: be bellach sy'n ein cadw ni wrth ein gilydd? Penbleth heddiw sy'n ein gyrru ni ill dau. Paid â gadael i ni ddinistrio'n gilydd oherwydd atebion gwahanol i'r cwestiynau dirdynnol.'

'Chwara hefo geiria ydy peth felna.'

'Chwara hefo geiria ydy pob dim. Iaith sy'n creu y byd.'

'Rhein yn ôl i chi. Sori mod i wedi cymryd cyhyd cyn eu dychwelyd nhw!'

A rhoddodd y llyfrau iddo. Copi Penguin o'r Qur'an a *Llyfr y Tri Aderyn*.

'Mae yna wirionedd, Huan, nad ydyo'n dibynnu ar na geiriau na phobol.'

'Ti'n cofio fel bydda ti'n dŵad yma ar ôl rysgol i siarad?'

'Arno chi y mae'r bai, ylwch! Chi blannodd y daith yno i, Huan.'

'Gad mi afael amdanat ti.'

A chofleidiodd y ddau gan deimlo cnawd cynnes, bregus ei gilydd.

'Lle rei di rŵan?'

'I weld Mam! *Oh! what a surprise* ddudith hi a rhwbio cledrau'i dwylo hyd ei chlunia . . . Huan?'

'Be, Isa?'

'Be ydy'ch enw iawn chi? Dwi 'di bod isio gofyn hynny i chi erioed.'

'Ti newydd ei ddeud o. Huan! Fel mai Isa Hasan Ali ydy dy enw iawn di bellach.'

'Ond o rwla arall da chi'n dŵad yn te?'

'O rwla arall y mae pawb wedi dŵad rwbryd neu'i gilydd. Mewnfudwyr yda ni i gyd.'

Cyn iddo adael Blaenau Seiont y diwrnod hwnnw edrychodd Huan Ellis i'r entrych. Yno unwaith bu nefoedd, catrodau o angylion ac archangylion a holl gwmpeini nef. Heddiw, pnawn 'ma, gwelodd y cymylau, y glesni, ôl awyren, adar. Pryd, tybiodd, y trodd nefoedd yn ddim byd ond awyr? A chofiodd yr ofn ddaeth drosto pan sylweddolodd hyn gyntaf oll, yr unigrwydd hollol, wedyn daeth y rhyddhad mai fel hyn oedd hi, wedyn y peidio malio – am be oedd yr holl ffŷs?

> Fod yna adeg pan nad oeddem ni
> Adeg pan yr ydym ni
> Adeg pan na fyddwn ni –
> Dyna i ti y cyfriniol
> Hynny ydy y rhyfeddod dychrynllyd

ysgrifennodd ar hast ar gefn amlen, ei phlygu drosodd a throsodd a'i gosod dan garreg ar ymyl y lôn.

Aeth i mewn i'w hen gar bach – yr Austin A35 du brynodd o'n ail-law pan ddaeth o yma gyntaf – yn llawn dop o'r hyn yr oedd o wedi penderfynu ei gadw ar gyfer ei daith i

29

Matryoshka

'What a surprise!' meddai Sab Ong pan agorodd y drws gan weld Sa . . . pwy? . . . Is . . . pwy? . . . yno a rhwbiodd gledrau ei dwylo yn erbyn ei chluniau.

'O! let me look at you. Gad mi weld. Dwi di bod yn Rysha sdi.'

'Da chi'n meddwl y cuthwn i ddŵad i mewn, Mam?'

'O! dwi'n sdiwpid. I am. Ty'd! Ty'd! Come on!'

Ac aeth â fo i'r parlwr lle bu'r heddlu, lle bu Dulyn Pari, lle bu arch Jimmy, lle bu llais Perry Como ar bnawniau Nadolig o flaen y Cwîn a Jêms Bond ar ei hôl hi, ei mawrhydi.

'Pam fama, Mam? What about rŵm ganol?'

'Are you sure?'

'Mam!'

'It's funny . . .,' meddai Isa yn y rŵm ganol.

'. . . without your Dad,' meddai Sab yn gorffen ei frawddeg. 'I know you couldn't come. Sdedda di yn fanna. Sit you down. I went to Russia, sdi.'

'Geshi beth o'r hanas gin Mr Ellis.'

'Been there first have you. Don i ddim yn gwbod 'i fod that he'd been helping you as a boy. With your homework. Nath dy Dad a fi we did our best.'

'Pwy sy'n deud fel arall?'

'Dwi'n embaras . . . An embaras . . . Am I?'

'Mam!'

'Why do stupid mothers have clever sons?'

'I am what I am because of you and Dad.'

186

'Then why did you stop calling yourself 'Sammy'? Hynny sy'n brifo. It hurts.'

'We go on journeys, Mam. Tu mewn i ni ein hunain. Sammy chi ydwi o hyd. Ond dwi wedi prifio, grown up, i rywbeth, rywun arall mwy. It's like that bit of you that married Dad. You ventured into difference.'

'Nash i prodi dy Dad I married my Jimmy because I loved him and not a bit of me but every bit of me. Bob tamad!'

'And I fell in love with my religion. It has opened me and deepened me more than anything or anyone else.'

'Elliw's getting better. You know Elliw Vaughan the artist. She lost her hand, Sammy. Nothing is worth . . . Gafal yn dy hen Fam . . . Yn dynn . . . Tighter . . . Like that! . . . O! like that! . . . Ti fel dy Dad . . . Jysd like him . . . Feel your bones his bones . . . Sori! Sori! Sori! . . .'

'Sori! Sori am be, Mam?'

'I'm not talking to you ond hefo dy Dad. Sori! Sori!'

Arhosodd Isa yno ym mreichiau ei Fam a hithau yn ei freichiau yntau – pwy bynnag oedd ym mreichiau ei gilydd y pnawn hwnnw, pwy bynnag yr yda ni yn eu dal yn ein breichiau ambell waith. Nid oedd ganddo'r hawl, penderfynodd, i ddilyn trywydd y 'sori' dim ond aros yno i adael llonydd i beth bynnag oedd yn digwydd i ddigwydd yr ochr arall i glawdd y gair.

'Than' diolch,' a chododd Sab ei hwyneb i edrych ar ei wyneb o.

'Just like him!' meddai a sychodd ei dagrau. 'I want you to know I loved your Dad. Ti'n dalld. He always gave me a lovelier me back to me, a me I could never find in myself. Cup of tea, ia? A ma gini I've got a present for you in case you'd come o'n i'n gwbod I knew you would. O! what a surprise.'

Aeth i'r gegin. Clywodd Isa hi'n llenwi'r teciall. Clic y switsh. Y cwpwrdd yn agor. Sŵn llestri yn cael eu hestyn. *Shht!* y siwgwr yn arllwys i'r bowlen. Y cwbl oedd ar goll oedd sŵn llais ei Dad. A byddai hi'n ddoe eto. Ond tydi hi byth yn ddoe eto.

'KitKat?' gwaeddodd Sab.

'Ocê,' atebodd.

'It's one of those dolls. Your present. Ti'n hagor hi and there's a ma 'na un arall and one inside that one too a mwy and a teeny weeny one at the end. It's just like opening up real people I think. Ma'n amazing. Cofia fi roid hichdi cyn chdi fynd. Pryd ti'n mynd?'

'Dwi yma am wythnos, Mam. Os câi.'

'A week!' meddai Sab o'r gegin.

'Dyna be ydy wythnos, Mam!'

'A lle ti'n mynd wedyn? Where?'

'Mam!'

A daeth Sab i mewn yn ôl i'r rŵm ganol hefo te ar hambwrdd arian crôm.

'They even had one of Tony Blair hefo Thatcher inside him wedyn Wilson and then Churchill then tu mewn i hwnnw. And an Osama one they had. All kinds.'

'They're called *matryoshkas*.'

'Don't show off! O'n i just abowt mynd i ddeud hynny. O! what a surprise. Dy weld di.'

Eisteddodd wrth ochr ei mab, Sammy Ong. Ac yntau, Isa Hasan Ali, wrth ochr ei Fam.

'Half with you!' meddai wrth agor y KitKat.

'Half with you!' meddai'n ôl.

'Would you like some caviar after? It's not nice. Dydyo ddim. What will we do together for a whole week? You and me!'

30

Gorfoledd y gwâr

'Mond chi a fi a'r hogia yn dynwarad teulu, Insbector,' meddai Edwin Moss, yr yndyrtecyr, ar lan y bedd. 'Sobor o beth. Sobor iawn hefyd. Dreadful. Y polîs fydd yn talu, ia? Dwi 'di dalld hynny'n iawn?'

'Naci! Fi! Gyrrwch y bil i mi,' meddai Edgar Owen.

'Dewcs! Duwadd! Be? Dim pres sgynynhw a finna'n meddwl 'u bod nhw'n gneud ffortiwn yn dal motorists diniwed. Ma thyrti'n ridicilys mewn modyn cars ychi, Insbector. Tydy injan modyn car ddim wedi'i gneud ar gyfar thyrti.'

'Gowch chi a'r hogia ollwng yr arch, Edwin,' meddai Edgar, 'ac wedyn gewch chi fynd.'

'Be? Does na ddim rilijys syrfis?'

Nid atebodd Edgar mohono.

'Sbei! Cer di i'r traed,' harthiodd Edwin. 'Tecno! Dos di i'r pen. Ac mi eith Dwlál a fi i'r ochra . . . Ocê hogia, codwch hi. One two easy does it . . . Ara bach wan hogia . . .'

Yr arch siâp cwch, meddyliodd Edgar, yn siglo fymryn ar y rhaffau fel llong ar angor. A'r gollwng araf, y rhaffau tyn yn llithro drwy rigin y bysedd, y dyrnau fel pwlis, y dynion cefnsyth yn fastiau duon a'r gnoc wrth i'r arch dwtsiad y gwaelod, cnoc fel cnoc cwch yn erbyn wal y cei ar lanw uchel a'r gwch yn mynd i nunlla.

'Dowch hogia, ma'r Insbector isio llonydd.'

Am ddim rheswm cyffelybodd Edgar gladdu i bostio llythyr. Cau geiriau yn nhywyllwch amlen. Cau corff yn nüwch y pridd. Geiriau'r llythyr ar wynder y papur fel creithiau bychain, fel cleisiau. A daeth yn fyw i'w gof ôl y dyrnodau ar epistol ei chnawd. *'Lam gymhariaeth wirion*, meddai wrtho'i hun, *claddu a phostio*! Ond gwelodd ei Dad yn ei gof, fo yn llaw ei Dad, y ddau ohonyn nhw o flaen y blwch postio fflamgoch, ei Dad yn rhoi sws i'r amlen pŵls cyn ei gollwng i'r düwch a'r un geiriau o wythnos i wythnos *gobeithio nad eith hi ar goll yn y post rhag ofn i ni golli ffortiwn a gorod aros yn fama am byth*. A hithau'n mynd ar goll yn y pridd. Am byth.

Ond deffrodd rhywbeth arall ynddo. Pa mor hen oedd hyn? Claddu. Rhoi corff yn y ddaear a'i huddo â phridd. Y naturiol i'r naturiol. Wrth gwrs! Ond! yn fwy fyth – dyma yw gwareiddiad. Onid hyn – claddu, pobl yn claddu ei gilydd – oedd un o arwyddion cynharaf gwareiddiad? Dyna sut mae nhw'n gwybod bod gwareiddiad yn cychwyn. Fod ffin esblygiadol wedi ei chroesi o'r anifail i'r dyn. Gadael burgyn ar lawr y mae anifail. Creu *marwolaeth* y mae dyn – gofid, ing, trallod, galar, dagrau a chladdu. Dim ond pobl sydd yn marw. Claddu eu meirwon, hynny a wna dynion. Dyna yw gwareiddiad. Roedd Edgar, gwyddai, ar y foment hon yn adfer y gwâr. O'r bryntni, o'r fforest fodern gyfalafol, o gieidd-dra dygodd y wraig hon yn ôl i wareiddiad drwy osod pridd arni. Er na wyddai ei henw roedd o rywsut wedi ei henwi, wedi adfer iddi ei hunigrywedd, drwy'r weithred seml, oesol, hynafol hon. Gafaelodd mewn dyrnaid o bridd a'i siffrwd rhwng gogor ei fysedd. Pridd i'r pridd, lludw i'r lludw, llwch i'r llwch. Nid mewn galar. Ond mewn gorfoledd. Gorfoledd y gwâr.

Nid oedd wedi sylwi ynghynt ar y bedd drws nesaf. Darllenodd yr arysgrif ar y llechen las, newydd:

Er Cof Llawn Cariad
am
Dwynwen
Gwraig Dulyn a Mam Rhodri
ac am
Gwawr a Rhys
yr efeilliaid
eu plant.

31

Gwynder

Edrychodd Elliw ar y gynfas wen oedd ar ogwydd ar yr îsl. Trodd ei phen fymryn i un ochr fel petai hi'n edrych drwy ffenestr a'r niwl yn cronni hyd y mynyddoedd. Cofiodd am un o gathod ei phlentyndod yn braidd gyffwrdd eira â'i phawen am y tro cyntaf erioed a rhedeg yn ôl mewn dychryn i'r tŷ. Cododd ei braich dde anafus tuag at y gynfas. Fel petai ei llaw dde yn gyfan eto. Ei llaw dde oedd wedi hen arfer dal brwsh. Ei llaw dde oedd yn gwybod be oedd be. Ond nid mwyach. Yn raddol gollyngodd ei braich i lawr i hongian yno'n ddiffrwyth.

Â'i llaw chwith, gafaelodd mewn brwsh. Brwsh sych, di-baent, newydd. A'i anelu. Am y tro cyntaf erioed. At y gynfas wen. Teimlodd y chwithdod. Y gwrthwynebiad yn ei chorff. Dieithrwch y gafael. A'r diffyg cynghanedd rhwng llygaid a brwsh a llaw a chynfas. Roedda nhw ar wahân. Yn eu tiriogaethau ystyfnig eu hunain. Fel dieithriaid yn sbio ar ei gilydd. Stabiodd y gwynder. Unwaith. Ddwywaith. Deirgwaith. Dyfnhaodd ei hanadl. Gwasgodd ei hamrannau'n dynn oherwydd teimlai'r dagrau'n cronni yn ei llygaid. Sugnodd ei gwefusau am i mewn. Symudodd ei throed fymryn i sadio ei hun.

Yna. Yn llifo drwyddi fel cofio. Daeth. Yr ysfa. Y dyheu. Y gwybod. Mi rwyt ti ar y trywydd iawn. Fel pan welodd hi lun am y tro cyntaf erioed ac yn y gweld hwnnw adnabod yr hyn oedd ddyfnaf ynddi, cyfeiriad gweddill ei bywyd. *Elliw fach tyda chi ddim isio fi i ddweud pa mor dda ydych chi. Mae o ynddo chi.* Symudodd y brwsh yn araf sicr ar hyd y gynfas. Yna â'r huodledd mwyaf. Nes yr oedd hi'n peintio gwynder.

Y tu ôl iddi yn ffrâm y drws agored safai Dulyn Pari. Yn ei gwylied. Toc cododd ei law chwith a'i chwifio nôl a blaen mewn cytgord â hi. Mewn rhyfeddod. Ym man y rhyfeddu.

32

,

ac yn eu gwylied ill dau roedd Rhodri.

O'i ddyfnder rhyddhaodd ei gân i'r byd.

A dyma gyfieithiad sâl mewn geiriau ohoni, o emosiwn y lliwiau:

y byd rŵan
yn hen gwpan
yr oedd rhywun
wedi bod
yn rhoi ei ddannedd gosod ynddi
yn sydyn
ac am ddim rheswm
yn troi'n
greal
sy'n gorlifo dros ei ymylon
hefo llawenydd
popeth
bellach yn rhodd
ac nid yn hawl
bendith ym mhobman yn lle bwrdwn
fel petai rhyw
un
wedi tynnu'r gorchudd
oddi ar bopeth sydd
i ddatgelu'r hanfod
y go-iawn-go-iawn

am chwinciad
cyn ei osod yn ôl
yn sydyn
yn hen hances boced fudr
yn glwt sychu llawr
i'n cadw ni
ym myd dynion
byd gwingo
byd troi a throsi
byd damio a dyheu
y gwter a'r gwych
galar ar y naill law
rhyfeddod ar y llall
ninnau'n pendilio
rhwng
y ddau
– yn plygu i'r drefn? –
pa drefn?
pa siâp?
pa batrwm?
mwy o anhrefn a llanast
na
dim byd arall
mwy o anneall na deall
nid rhagluniaethau ond damweiniau
syndod siawns
hapusrwydd hap
Eto!
yn dychmygu'n wastadol
bethau gwahanol a gwell
a theg yr olwg
y lle iawn
wrth gwrs!

i ni sydd
ychydig is na'r angylion
yr unig le
mae'n siŵr
yr unig fyd
hyd nes
y daw
eto
yr eiliadau rheiny
o ddat
– guddio
i'n synnu
a'n profocio
i'n hanniddigo
i simsanu'n sicrwydd
i droi pob *ie!* yn *efallai*
pob *na!* yn *dybed?*
atalnod llawn.
yn troi'n farc cwestiwn?
esgyniad
tyner
llednais
y coma,
a'r edrych allan hir
o benrhyn iaith
i'r distawrwydd llethol